ENKIDIEV
UN MONDE À DÉCOUVRIR

DE L'AUTEUR ANNE ROBILLARD

Publiés aux éditions de Mortagne :

LES CHEVALIERS D'ÉMERAUDE

Tome 1 Le feu dans le ciel

Tome 2 Les dragons de l'Empereur Noir

Tome 3 Piège au Royaume des Ombres

Tome 4 La princesse rebelle

Tome 5 L'île des Lézards

Tome 6 Le journal d'Onyx

Tome 7 L'enlèvement

Tome 8 Les dieux déchus

Tome 9 L'héritage de Danalieth

Tome 10 Représailles

Tome 11 La justice céleste

QUI EST TERRA WILDER ?

Publiés aux éditions Michel Brûlé :

A.N.G.E.

Tome 1 Antichristus

Tome 2 Reptilis

Tome 3 Perfidia

Tome 4 Sicarius

ANNE ROBILLARD
CLAUDIA ROBILLARD

ENKIDIEV

UN MONDE À DÉCOUVRIR

WELLAN INC.

Catalogage avant publication de Bibliothèque et Archives
nationales du Québec et Bibliothèque et Archives Canada

Robillard, Anne

Enkidiev, un monde à découvrir

ISBN 978-2-981042-80-4

1. Robillard, Anne. Chevaliers d'Émeraude - Encyclopédies. I. Robillard, Claudia, 1964- . II. Titre.

PS8585.O325C432 2008 C843'.6 C2008-940560-9
PS9585.O325C432 2008

Wellan Inc.
C.P. 57067 - Centre Maxi
Longueuil, QC J4L 4T6
Téléphone : 450 647-4444
Télécopieur : 450 647-0620
Courriel : wellan.inc@videotron.ca

Couverture et cartes : Jean-Pierre Lapointe
Illustrations : Catherine Mathieu
Mise en pages : Claudia Robillard
Révision : Caroline Turgeon

Distribution : Prologue
1650, boul. Lionel-Bertrand
Boisbriand, QC J7H 1N7
Téléphone : 450 434-0306 / 1 800 363-2864
Télécopieur : 450 434-2627 / 1 800 361-8088

Dépôt légal - Bibliothèque et Archives nationales du Québec, 2008
Dépôt légal - Bibliothèque et Archives Canada, 2008

REMERCIEMENTS

Nous tenons à remercier tous ceux qui nous ont aidées à rédiger cet ouvrage par leurs commentaires, leurs recherches ou leurs illustrations. Un gros merci à Jean-Pierre Lapointe, notre magicien, pour ses créations qui vous ont permis de visualiser le monde des Chevaliers au fil du temps. Un gros merci aussi à Catherine Mathieu qui nous a offert les premiers visages de nos héros.

Maintenant, c'est le moment de partir à la découverte d'Enkidiev. Amusez-vous bien !

Anne Robillard
Claudia Robillard

INTRODUCTION

L'épopée des valeureux Chevaliers d'Émeraude est composée d'autant de détails qu'elle compte de héros. Celui qui n'a pas fait partie de l'Ordre d'Émeraude ou celui qui n'a pas vécu cette guerre ne s'y retrouve pas aussi facilement que nous. C'est pour cette raison que, dans les années supplémentaires que m'ont accordées les dieux, j'ai décidé de regrouper tout ce que je sais au sujet de l'histoire, de la géographie, des coutumes et de la beauté du continent où je suis né jadis Roi d'Argent.

Vous trouverez dans ce livre compagnon presque tout ce que vous vouliez savoir. S'il manque quoi que ce soit, laissez-le-moi savoir par télépathie et je me ferai un devoir de l'ajouter dans les prochaines impressions.

Hadrian d'Émeraude

TABLE DES MATIÈRES

PREMIÈRE PARTIE
LES ROYAUMES

DEUXIÈME PARTIE
LES HÉROS D'ENKIDIEV ET D'AUTRES CONTRÉES

Tous les autres

LES FAMILLES ROYALES D'ENKIDIEV

AUTRES VALEUREUX AMIS PARMI LES ROYAUMES

HABITANTS D'OUTRE-MER

CRÉATURES

TROISIÈME PARTIE
L'ORDRE

QUATRIÈME PARTIE
LES VALEURS DES CHEVALIERS

CINQUIÈME PARTIE
LA MAGIE

SIXIÈME PARTIE
LES MONDES CÉLESTES

SEPTIÈME PARTIE
LITTÉRATURE

PREMIÈRE PARTIE
LES ROYAUMES

Enkidiev

Le continent d'Enkidiev

Géographie

En réalité, Enkidiev représente un peu moins de la moitié d'un bien plus vaste continent dont je ne connais pas encore le nom. Les trois quarts d'Enkidiev sont entourés d'eau. À l'est, les volcans, pour la plupart encore actifs, d'une longue chaîne de montagnes séparent Enkidiev des Territoires Inconnus. Au nord, la mer des Dragons blancs s'étend au-delà des Royaumes de Shola, des Ombres et des Esprits. Au nord-ouest, le détroit des Tanieths, au sud-ouest, la mer des Lézards et complètement au sud, la mer des Anciens Elfes.

La partie la plus septentrionale d'Enkidiev est composée de hauts plateaux créés par d'anciens volcans maintenant éteints et usés par les vents violents qui accompagnent les fréquentes tempêtes. Désormais recouverts de glace et de neige, leur sous-sol abrite cependant d'importantes mines de pierres précieuses. À l'est de Shola, d'autres falaises s'élèvent, au-dessus desquelles s'étend le Royaume des Ombres. Chaque année, le sous-sol volcanique du tablier du Royaume des Ombres grimpe un peu plus vers le ciel. Dans les années à venir, il se transformera sans doute en une magnifique chaîne de montagnes. En raison de la chaleur du sol, la neige tombant sur ce royaume se transforme rapidement en glace.

Les plateaux enneigés de Shola sont séparés du reste d'Enkidiev par de hautes falaises. Autrefois, seul le Royaume de Shola était accessible à partir du Royaume des Elfes grâce à un sentier creusé dans la falaise.

Depuis, Kira a fabriqué une rampe de pierre entre le Royaume des Esprits et le Royaume de Shola qui permet un accès facile à ces contrées nordiques.

Au pied de ces falaises, le terrain est rocailleux et la végétation plus clairsemée. En descendant vers le sud, le paysage verdit à vue d'œil et les arbustes se transforment en arbres touffus, puis en denses forêts. Le climat est tempéré au pied des falaises, mais ne connaît jamais les chaleurs du centre et du sud.

Les plages de la côte ouest sont presque toutes formées par de petits galets arrondis. À la hauteur du Royaume des Elfes, la plage est déchiquetée par de gros rochers pointus ressemblant à des crocs jaillissant du sol.

Le centre d'Enkidiev est un curieux mélange de forêts et de grandes plaines fertiles. Il est dominé par un seul pic, soit la Montagne de Cristal, vestige d'une autre chaîne de volcans qui descendaient vers le sud-est et dont on retrouve d'autres vestiges à cet endroit. C'est le pic le plus élevé du continent. D'autres montagnes se dressent au nord-est, soit celles de Béryl où les forêts sont rares et dégarnies.

Le sud est séparé du centre d'Enkidiev par d'autres falaises. C'est l'endroit le moins élevé de tout Enkidiev. Il est presque entièrement recouvert de sable et ponctué de nombreux oasis. À l'est de cette étendue désertique, sur la rive orientale d'un grand fleuve, s'étend une forêt tropicale difficile à atteindre en raison de la dépression dans laquelle elle se trouve, nichée entre les volcans, les falaises et le désert.

Trois grands cours d'eau sillonnent Enkidiev : les rivières Sérida, Amimilt et Mardall. La rivière Mardall prend sa source au pied des falaises de Shola, traverse les Royaumes des Elfes, des Fées, d'Argent, de Cristal et de Zénor pour se jeter dans l'océan. La rivière Mardall longe le Royaume de Perle, puis traverse celui de Zénor pour se jeter dans le Désert où elle rejoint la mer. Trois affluents se détachent de la rivière Mardall.

La rivière Tikopia parcourt le Royaume des Elfes et se dirige vers le sud-est en passant à travers les Royaumes de Diamant, de Rubis et de Jade. Elle serpente au pied de la Montagne de Cristal et grimpe vers le nord.

La rivière Wawki quitte la rivière Mardall au Royaume d'Argent et pénètre dans les Royaumes d'Émeraude et de Turquoise.

Avant de rejoindre la mer au-delà du Désert, la rivière Dillmun court le long de la frontière entre les Royaumes de Perle et d'Émeraude, puis traverse le Royaume de Fal et la Forêt Interdite.

Wellan trouva pourtant des cartes géographiques qui ne représentaient pas Enkidiev. Elles montraient plutôt des terres montagneuses ou sillonnées de cours d'eau qui appartenaient très certainement à un autre monde. L'empire des insectes ? Ou ces contrées lointaines dont Onyx parlait dans son journal ?

Les quelques indications manuscrites accompagnant ces illustrations ne l'aidèrent guère, car une fois traduites de la langue des Anciens à la langue moderne, elles ne voulaient plus rien dire. Il semble qu'elles aient été dessinées par un roi qui habitait Shola il y a fort longtemps, le roi Ménesse, un grand navigateur. Les notes codées y furent ajoutées à l'époque de la première invasion.

SAISONS

Il n'y a qu'une seule saison au nord. C'est l'hiver toute l'année sur les hauts plateaux.

Le centre et le sud d'Enkidiev connaissent deux saisons : la saison chaude et la saison des pluies, cette dernière étant un peu plus froide. Après de longs mois de pluie et d'obscurité, les vents chauds chassent les nuages vers le nord, provoquant ainsi de violents orages sur tout Enkidiev. Puis le soleil recommence graduellement à briller dans un ciel de plus en plus bleu. C'est le début de la saison chaude et des semences. Il neige rarement dans ces régions. Heureusement, sur l'extrême sud, il pleut pendant quelques mois, ce qui permet d'alimenter les oasis.

La saison des tempêtes sur l'océan concorde avec la saison chaude. Lorsque finalement les pluies s'abattent sur Enkidiev, l'océan redevient calme.

PAYSAGES

Au nord, on retrouve trois plateaux de différentes élévations. Celui le plus à l'ouest est le plus bas. Il est surtout recouvert de neige, tandis que les deux autres sont surtout recouverts de glace.

Une partie de la côte ouest est recouverte de denses forêts, mais elles disparaissent vers le milieu du continent pour faire place à des milliers de collines recouvertes d'arbustes et de maigre végétation.

Le centre d'Enkidiev est dominé par la Montagne de Cristal. Tout autour, on retrouve des plaines fertiles. Vers le sud, la prairie se change en vaste étendue de sable où poussent des arbres uniques : palmiers, dattiers, bananiers, etc.

Le nord est recouvert de forêts qui deviennent moins denses vers le sud. La terre devient moins hospitalière au pied des montagnes de Béryl, vestige d'une chaîne de vieux volcans dont faisait aussi partie la Montagne de Cristal. Au-delà de ces montagnes, se trouve une très dense forêt tropicale au climat très chaud et très humide.

Faune

La faune d'Enkidiev est riche et diversifiée. Les mers entourant le continent regorgent de poissons de toutes sortes et de mammifères marins, dont le plus célèbre est le Dragon des mers, créature géante aux mœurs paisibles.

Les forêts regorgent de vie. En plus des centaines d'espèces d'oiseaux nichant dans les arbres et même sur le sol, on y trouve, selon les régions, des cerfs, des loups, des grands chats sauvages, des panthères, des renards, des sangliers, des singes, des lièvres, des belettes, des sarigues, des dindons, des chauves-souris et des souris. Plus au sud, c'est le domaine des petits reptiles, comme les lézards et les serpents. On y trouve également des mangoustes.

Parmi les animaux de ferme, on retrouve des chevaux, des taureaux, des chèvres, des moutons et des poules. Il y a aussi quelques races de chiens et des chats. Enkidiev ne compte pas une grande variété d'insectes et leur nombre varie selon les régions et les saisons.

Histoire

À l'origine, il n'y avait que trois royaumes sur Enkidiev : le Royaume de Cristal, le Royaume de Rubis et le Royaume des Fées. Il n'y avait que trois grandes familles royales qui s'étaient divisé tout le territoire en régions plus ou moins égales. Les autres royaumes apparurent lorsque leurs monarques durent séparer leurs terres entre leurs enfants et en céder une partie aux Elfes lorsque ces derniers arrivèrent sur le continent.

À l'origine, le Royaume de Cristal s'étendait jusqu'à la Montagne de Cristal. Il fut fractionné en quatre parties qui devinrent les Royaumes de Zénor, de Fal, d'Argent et de Cristal, dotant tous les jeunes princes de leur propre territoire. Zénor et Fal étaient les noms de deux de ces princes.

Le Royaume de Rubis, quant à lui, fut partagé en cinq parties qui devinrent les Royaumes de Turquoise, de Béryl, de Jade, d'Opale et de Rubis.

Les Fées perdirent beaucoup de territoire lors de l'arrivée des Elfes qui s'établirent dans leurs forêts les plus denses et en raison d'une alliance qu'elles contractèrent avec le Royaume de Rubis. Une de leurs princesses épousa un héritier de Rubis. Les Fées leur octroyèrent donc une partie de leurs terres qui devinrent le Royaume d'Émeraude.

Le Royaume de Perle fut ensuite formé lors du mariage d'un prince de Rubis et d'une princesse de Cristal.

Quelques années plus tard, le Royaume d'Émeraude fut divisé en deux pour créer le Royaume de Diamant.

Le Royaume de Shola fut créé par une race issue d'un croisement entre les Fées et les Elfes qui voulait s'isoler pour mener une vie de contemplation. D'ailleurs, le mot « Shola » veut dire « retraite » dans leur langue. Le Roi Draka d'Argent s'y exila avec son fils aîné, Shill, après avoir tenté de renverser le Roi d'Émeraude. Quelques-uns de leurs sujets les y suivirent.

En ce qui a trait aux Royaumes des Esprits et des Ombres, les historiens ont écrit toutes sortes de sottises à leur sujet. Ils les disaient hantés par les âmes des damnés. Nous savons maintenant que la cité d'Espérita (le Royaume des Esprits) était habitée par les descendants du Chevalier Onyx et des paysans qui étaient partis coloniser les terres du nord. Quant à Alombria (le Royaume des Ombres), elle abrita les enfants hybrides de l'Empereur Amecareth pendant des centaines d'années.

La vie sur Enkidiev fut paisible jusqu'à la première invasion des hommes-insectes. Un peu plus de cinq cents ans avant ce jour, leur Empereur, Amecareth, tenta de s'emparer de notre continent. Il aurait sans doute réussi à dévaster Enkidiev sans l'intervention des Immortels. Abnar, aussi connu sous le nom de Magicien de Cristal, créa une grande armée magique. Ces hommes devinrent les premiers Chevaliers d'Émeraude, dont on me confia alors le commandement.

Avant que les premiers Chevaliers soient rassemblés, à l'époque où le Roi Jabe régnait sur le Royaume d'Émeraude, les humains se défendirent courageusement contre les incursions des guerriers-insectes, mais puisque le nombre de scarabées augmentait sans cesse, une action concertée devint nécessaire. Chaque royaume leva une armée, et ces armées furent ensorcelées par Abnar. Seuls les hommes combattirent. À cette époque, les femmes portaient les enfants et entretenaient la maison de leurs maris. Elles ne participaient pas à la guerre.

N'ayant duré que quelques mois, cette guerre fut toutefois désastreuse pour les humains. Beaucoup d'hommes, de femmes et d'enfants y perdirent la vie. Elle se termina subitement, lorsque le Roi Jabe d'Émeraude immola Mayland, le petit garçon mauve, devant la horde des guerriers noirs. Inexplicablement, les Tanieths battirent en retraite vers la côte. Avec l'aide du Magicien de Cristal, je réussis à détruire les sorciers d'Amecareth et à repousser l'ennemi à la mer. Cet Immortel avait, en fait, relié l'esprit de tous mes soldats au mien. Je n'avais qu'à imaginer une stratégie pour qu'ils s'y rallient tous. Ensemble, nous avons sauvé Enkidiev.

Mais notre victoire fut ternie par le comportement inacceptable des premiers défenseurs du continent après la guerre. La plupart de ces Chevaliers n'avaient pas été préparés dès l'enfance à vivre avec des pouvoirs magiques. Assoiffés de pouvoir, mes principaux lieutenants tentèrent de renverser des rois pour s'emparer de leurs terres. Plusieurs s'entretuèrent. Le Magicien de Cristal fut forcé d'intervenir et de punir les soldats rebelles en leur enlevant leurs pouvoirs. Certains acceptèrent de se soumettre à la volonté d'Abnar, mais beaucoup se sont retournés contre lui et y ont perdu la vie. Un seul d'entre eux réussit à lui échapper, mon ami Onyx. Les historiens ont ensuite perdu sa trace.

Onyx raconte toutefois une version fort différente de ces événements : « Malgré la mauvaise réputation que se sont faite certains des premiers Chevaliers d'Émeraude après la guerre, ils étaient de braves hommes qui ne voulaient qu'une chose : défendre leurs terres. »

Selon lui, les héros de cette guerre auraient dû être récompensés et non mis à mort. Je suis d'accord avec lui, mais je n'ai pas su m'imposer autrefois.

Lorsque, cinq cents plus tard, les étoiles annoncèrent l'imminence d'une nouvelle invasion, le Roi Émeraude 1er fonda un nouvel Ordre d'Émeraude sur des bases fort différentes. Des enfants magiques furent élevés dans son château afin de développer leurs dons et de les utiliser pour défendre le peuple. Parmi les premiers élèves du magicien Élund, Wellan s'imposa naturellement comme chef des nouveaux Chevaliers d'Émeraude.

La deuxième invasion dura beaucoup plus longtemps puisque le Magicien de Cristal refusa de donner à la seconde incarnation des Chevaliers d'Émeraude autant de pouvoirs qu'il en avait accordé à la première. Ils eurent donc recours à leur intelligence pour empêcher les Tanieths de remettre le pied sur leurs terres.

Des trappes furent creusées dans tous les royaumes côtiers pour arrêter la poussée des dragons dévoreurs de cœurs et les braves, mais peu nombreux Chevaliers d'Émeraude, affrontèrent l'ennemi pour la première fois.

Cette fois, cependant, l'Empereur Noir utilisa une stratégie fort différente pour s'emparer d'Enkidiev. Après quelques incursions manquées sur la côte, il y sema des larves qui occupèrent suffisamment les Chevaliers pour qu'ils ne puissent pas empêcher un débarquement massif.

Ce fut la bravoure du Prince Lassa de Zénor qui permit enfin aux habitants d'Enkidiev de connaître une paix définitive. Bravant la mort, il tenta de réformer le grand seigneur d'Irianeth par son amour et sa douceur. Malheureusement pour lui, Amecareth ne sut pas reconnaître le compromis que lui offrait le porteur de lumière et il fut détruit.

Les Enkievs

On ne peut pas parler de l'histoire d'Enkidiev sans parler des Enkievs, ses tout premiers habitants. D'ailleurs, Enkidiev veut dire « univers » dans leur langue.

N'ayant pas grand-chose à se mettre sous la dent, certains historiens crurent utile d'inventer ce qu'ils ne savaient pas. D'autres, qui s'étaient penchés sur les quelques vestiges de ce peuple, retrouvés au Royaume de Rubis, se montrèrent plus prudents. Ils prétendirent que les Enkievs avaient été déposés sur le continent par les dieux eux-mêmes et qu'ils avaient été les premiers êtres magiques. Les enfants d'aujourd'hui qui possèdent des facultés surnaturelles sont vraisemblablement leurs descendants directs.

Quant à eux, les magiciens prétendaient que c'était les Enkievs qui avaient réuni des rochers géants pour les placer en rond à des endroits spécifiques sur le continent. Cependant, ils ignoraient à quoi ils servaient.

Voici ce que raconte Onyx sur les dragons et les Enkievs : « Vinciane, une Immortelle, fut chargée jadis d'aider les Enkievs à refouler les hordes de dragons au sud du continent où les dieux viendraient les chercher. Ces bêtes créées par Parandar occupaient à l'origine tous les territoires de ce monde Au début, c'était des prédateurs comme les grands chats sauvages. En raison de leur conditionnement sur le continent de l'Empereur, ils ont changé leurs habitudes alimentaires. Vinciane dut les repousser ailleurs parce qu'ils commençaient à subir l'influence néfaste des sorciers d'Amecareth. »

Onyx termina son récit en disant que Vinciane avait finalement accompli sa mission en ramenant un bon nombre de dragons avec elle dans les mondes célestes, mais que, malheureusement, ceux qui avaient été contaminés par l'obscurité avaient refusé de la suivre.

Heureusement, Kira me rapporta ce qu'elle avait vu de ses propres yeux.

Les Enkievs ressemblaient physiquement aux hommes d'aujourd'hui, mais ils avaient des mœurs et des coutumes différentes. Ils étaient beaucoup plus près des dieux et ils s'interrogeaient davantage sur leur propre nature.

À cause des dragons qui régnaient en maîtres sur tout Enkidiev, mais en plus grande concentration dans la région qui allait devenir plus tard le Royaume d'Émeraude, personne n'habitait sur les plaines ni ne cultivait la terre. Lorsque les Enkievs devaient se déplacer, ils le faisaient en silence et avec prudence. Ils avançaient très rapidement, à la file indienne, épiant sans cesse les sous-bois.

Les Enkievs provenaient des étoiles où les dieux les avaient créés. Ils avaient ensuite été déposés sur cet immense continent par des nuages. Quelques rares Enkievs possédaient le don de communiquer avec le père divin grâce à leurs rêves. Vénérés, ces « rêveurs » transmettaient la volonté du grand dieu au reste du peuple.

Ils attendaient l'arrivée parmi eux de Kira, la fille du dieu suprême, qui soulignerait le commencement d'une ère nouvelle. Selon leurs croyances, Kira devait les débarrasser de la menace des dragons et leurs permettre enfin de cultiver les grandes terres fertiles dont les dieux leur avaient fait cadeau.

Les Enkievs consommaient la même nourriture que leurs descendants à l'exception d'une racine salée qu'ils appelaient « tentacules de lune ». On les trouvait sous les pierres transparentes, près des étangs. La quête de nourriture était évidemment une aventure risquée en raison des dragons.

La plupart des Enkievs ressemblaient beaucoup aux Jadois. Chaque tribu se donnait un nom qualifiant ce qu'elle était ou l'endroit où elle vivait, comme les Bordiers, sur le bord de l'océan, et les Cascatas près des cascades. Ils vivaient dans un grand ravin, derrière une ancienne chute. Ils jouaient de la harpe et fabriquaient des colliers de pierres précieuses. Déjà, ils offraient des fleurs à Parandar, coutume qui s'est perpétuée jusqu'à notre époque. Ils vivaient dans des huttes circulaires au centre desquelles se trouvait un foyer de pierres. La fumée s'échappait par une ouverture au plafond. Des Cascatas, Kira ne m'a parlé que de la reine et de Nouara, la jeune rêveuse qui lui avait servi de guide. Elle était menue et pas plus grande que Kira. Ses cheveux noirs étaient tressés en une longue natte dans son dos et ses yeux étaient sombres. Sa peau était dorée comme celle des Jadois et un tatouage partait de sa joue couvrant tout son front et s'arrêtait sur son autre joue. La reine s'appelait Kittriya. Elle ressemblait physiquement à Nouara, sauf que ses yeux étaient bleus. Il émanait de cette femme une force irrésistible.

Kira rencontra également les Gariséors, qui se nommaient ainsi car la plupart étaient des guérisseurs. Ils pouvaient faire disparaître la douleur et arrêter le sang. Lorsqu'ils guérissaient un malade, ils absorbaient son mal pour s'en débarrasser tout de suite après. Leur village était situé le long de la rivière Sérida, au pied du volcan, devant le Royaume de Rubis. À l'origine, ils vivaient près de la Montagne de Cristal, mais lorsque les dragons devinrent légion, il se divisèrent et cherchèrent refuge ailleurs. Les Gariséors utilisaient des cristaux transparents à des fins diverses. Symlise était la souveraine du village qui accueillit Kira. Elle avait de longs cheveux roux et des pouvoirs magiques.

Mais celui qui retint le plus l'attention de Kira fut Lazuli, dont Onyx était un descendant. Fils de Girasol, un guérisseur, et d'Ambre, une devineresse, Lazuli possédait un puissant pouvoir d'attraction. Il ressemblait d'ailleurs à Sage comme un frère jumeau, aussi poli et aussi prévenant que lui. Ses cheveux noirs tombaient sur ses épaules et ses yeux étaient aussi clairs que le ciel. Il pouvait faire tomber la pluie, trouver de l'eau dans le sol et calmer les volcans. Lazuli quitta son village pour accompagner Kira dans son périple. Il lui sauva même la vie après qu'elle eut détruit tous les dragons sur les plaines d'Enkidiev.

J'ai longuement réfléchi au séjour de Kira dans notre lointain passé et j'ai analysé toutes ses interventions. C'est elle qui a anéanti les monstres qui vivaient en liberté sur notre continent et c'est aussi elle qui a involontairement creusé les fondations du Château d'Émeraude. Elle a, pour ainsi dire, changé notre présent. Nous lui devons le continent que nous connaissons aujourd'hui.

La Légende

Voici l'histoire de la création d'Enkidiev par Parandar, telle que racontée par Wellan :

« Au début des temps, il n'y avait aucune vie sur Enkidiev. Aucun oiseau ne gazouillait dans les grands arbres des forêts, aucun poisson ne sautillait dans les eaux claires des rivières. Parandar, le chef de tous les dieux, avait créé cet univers pour y perdre son regard lorsqu'il était las des querelles célestes. Un jour, Clodissia, son épouse, visita le continent désert et, à son retour, elle demanda à Parandar de le peupler des plus belles créatures pour lui faire plaisir. Il créa donc les animaux que nous connaissons aujourd'hui et il invita la déesse à retourner sur Enkidiev.

Elle parcourut de nouveau la contrée, et, en reprenant sa place auprès de son époux, qui présidait la grande assemblée du ciel, elle raconta aux autres dieux ce qu'elle avait vu. Ils applaudirent la réussite de leur chef, mais Clodissia ne se joignit pas à eux. Lorsque Parandar se retira finalement dans son grand palais au bras de son épouse, il voulut savoir ce qui la rendait triste. Elle lui confia qu'il manquait à ce paradis terrestre des êtres doués de raison qui sauraient le protéger et le faire fructifier. Ce soir-là, dans un songe, le chef des dieux créa le premier homme et la première femme et, au matin, il les présenta à son épouse. Folle de joie, Clodissia prit les deux humains et les transporta elle-même sur Enkidiev en leur disant de se multiplier et de veiller sur leur nouvelle patrie. »

Fêtes nationales

Chaque royaume fête le dieu ou la déesse qui le protège pendant au moins une journée durant la saison chaude. Cependant, tous les royaumes célèbrent les Fêtes de Parandar. Pendant quelques jours, ils décorent leurs villes ou leurs villages de fleurs et organisent des bazars sur la place publique. C'est le moment idéal pour ceux qui veulent se procurer des raretés, car les marchands y viennent de partout.

Langue

Tous les humains parlent une version moderne de la langue des Enkievs. Certains comprennent aussi la langue des Elfes, mais personne ne peut interpréter les doux sifflements des Fées.

Communications

Seuls les familles royales échangent régulièrement des missives entre elles, mais il n'est pas défendu au peuple d'utiliser les coursiers pour transmettre des lettres à des amis ou de la famille dans un autre royaume.

Monnaie

Les pièces d'or sont confectionnées à Émeraude, mais elles sont rarement utilisées par le peuple qui a encore recours au troc pour obtenir les biens dont il a besoin. D'ailleurs, la fortune d'un homme n'est pas évaluée en fonction des pièces d'or qu'il possède, mais en fonction de ses biens matériels.

Transport

Les chevaux sont le mode de transport le plus courant, mais les paysans préfèrent les charrettes et même la marche pour se rendre d'un village à l'autre ou au château de leur souverain. Seuls les Chevaliers d'Émeraude de la première génération possèdent des bracelets capables de former des vortex au moyen desquels ils se déplacent. Certains magiciens, dont le Roi Onyx, possèdent ce pouvoir de façon naturelle.

Gîte

Il y a quelques auberges un peu partout sur Enkidiev, mais les gens préfèrent chercher le gîte chez des paysans lorsqu'ils se déplacent. Les familles royales accueillent parfois d'illustres voyageurs.

Nourriture

Les aliments varient selon les régions. Vers le nord, où la saison des récoltes est plus courte, les gens consomment plus de viande et de gibier. Dans les régions du centre, où l'agriculture est plus répandue, on consomme beaucoup de légumes et de fruits. Grâce au climat privilégié du sud, les habitants de Fal jouissent d'une grande variété de fruits succulents. Les Jadois affectionnent le riz qu'ils cultivent dans d'immenses rizières. Sur la côte, en plus des fruits de la terre, les habitants de Zénor, de Cristal et d'Argent consomment des produits de la mer.

Personne ne sait vraiment ce que mangent les Fées. Lorsqu'elles reçoivent des visiteurs, elles leur servent ce qu'ils ont l'habitude de manger chez eux, mais personne ne les voit manger quoi que ce soit.

Les Elfes, quant à eux, sont strictement végétariens. Ils se nourrissent des fruits et des racines de leurs grandes forêts.

ENKIDIEV

ARMOIRIES

Argent

Le Royaume d'Argent

Géographie

Le Royaume d'Argent est un royaume côtier entouré d'une haute muraille de pierre surmontée de créneaux. Elle fut érigée au début du règne du Roi Cull pour protéger le peuple d'éventuelles représailles de la part des autres royaumes après l'attaque de Draka au Royaume d'Émeraude. Des soldats armés en ont longtemps gardé l'accès. Lors de l'attaque des hommes-lézards, des tranchées furent creusées le long du mur sur la plage. Des pieux de différentes longueurs furent également plantés dans ces tranchées afin d'arrêter ces envahisseurs.

Il n'y avait aucune ouverture dans la muraille à part deux immenses portes au sud. Les habitants ont depuis commencé à percer de nombreuses portes dans les murs, mais surtout le long des frontières avec les Royaumes de Cristal, des Fées et d'Émeraude. Même les Chevaliers d'Émeraude ont ouvert une brèche sur la plage pour y avoir accès.

À l'intérieur, de nombreuses collines descendent vers la mer avec douceur. Sur la plus haute se dresse le palais qui fait face à la mer. Au sud, à la sortie des grandes portes, des menhirs bordent le chemin qui mène à Cristal. Au nord-ouest, la forêt est plus dense. Le terrain y est parsemé de petites collines rocheuses fendues en plusieurs endroits par d'anciens tremblements de terre qui ont formé de petites cavernes. À l'est, au-delà des murailles, un pont traverse la rivière Mardall. Il a été créé par Akuretari et il a la forme d'un dragon allongé dont les pattes relient les deux rives. On traverse la rivière en marchant sur le dos aplati du dragon.

Le palais se dresse en flanc de colline. Moins élevé que celui d'Émeraude, il est toutefois plus vaste. Éloigné de l'océan, on peut néanmoins apercevoir les flots par les fenêtres des chambres du deuxième étage. N'étant pas entouré de douves, le palais n'a pas de pont-levis. C'est un grand édifice de pierres blanches autant à l'extérieur qu'à l'intérieur. Ses portes principales sont en argent massif.

Les murs polis du palais affichent une décoration sobre et ne sont éclairés que par quelques torches. Seule la salle du trésor contient de belles œuvres d'art ainsi que l'armure et les effets personnels du Roi Hadrian. Tous les corridors sont de marbre blanc.

Il y a un cachot sous le palais, mais il n'est plus utilisé depuis longtemps.

Le palais d'Argent a à peu près les mêmes grandes divisions que le palais d'Émeraude, en plus d'un immense balcon à la balustrade sculptée d'étranges d'animaux. La salle à manger est une immense pièce de marbre blanc ornée de tapisseries brodées de bleu et d'argent représentant des créatures marines.

Le grand hall immaculé est orné de fanions bleus arborant des créatures marines. Ses murs sont de pierre crayeuse, ses planchers polis, et son décor curieusement sobre. Il donne accès à un petit salon privé aux murs ornés d'épées et de dagues d'apparat.

La tour du roi est percée de meurtrière. C'est là que le Roi Cull reçoit ses visiteurs, car en son centre se dresse un trône d'argent. La chambre royale, quant à elle, est une vaste pièce de marbre blanc où sont percées de larges fenêtres recouvertes de voiles opalescents. Elle est meublée d'un grand lit, d'armoires, de commodes et d'un superbe miroir dans un cadre d'argent en forme de goéland.

La salle à manger est une immense pièce de marbre blanc ornée de tapisseries brodées de bleu et d'argent, représentant toutes des créatures marines. Dans le salon privé du roi, les murs sont couverts de dagues et d'épées de grande valeur.

Les bains sont situés dans une aile du palais. Ce sont d'immenses bassins de céramique, recouverts de millions de petites tuiles brillantes blanches et bleues, d'un grand raffinement. Le pourtour des bains est orné d'illustrations représentant des créatures marines. Il y a des installations séparées pour les femmes et pour les hommes.

La cour du palais est dallée. On y trouve en son centre un grand jardin intérieur aux allées pavées de petits cailloux blancs.

L'écurie est un immense bâtiment composé de blocs d'alabastrite, unique à ce pays. Ses portes sont décorées de petits hippocampes argentés. Le roi possède de magnifiques chevaux et ses serviteurs les soignent de leur mieux malgré la pauvreté du royaume.

Histoire

Le Roi Draka d'Argent, père du Roi Cull, mena une attaque sur le Royaume d'Émeraude afin d'agrandir son territoire. Il fut défait lorsque tous les royaumes se liguèrent contre lui, mais non sans avoir laissé sur son passage mort et destruction.

Le Roi Hadrian fut le commandant des premiers Chevaliers d'Émeraude et mena ses hommes à la victoire contre l'Empereur Amecareth, ses sorciers et ses guerriers-insectes.

Le père du Roi Hadrian s'appelait Driance pour les Elfes et Kogal pour les Argentais. Il fut également le père de l'Immortel Abnar. Le Roi Kogal d'Argent était un grand homme, aussi habile avec l'épée qu'avec la plume. Sa stature imposait le respect, mais ses manières étaient suaves et sa voix savait rendre justice aux plus beaux poèmes de son siècle. Kogal n'avait que des amis, même parmi les Fées et les Elfes. Il affectionnait tout particulièrement les Elfes et, s'il n'avait pas été promis à une princesse humaine, il aurait épousé une de leurs filles. Le Roi des Elfes lui avait donné un prénom dans sa langue, soit Driance, qui signifie « fils de l'océan ». C'est à partir de ce moment que les animaux marins firent partie des emblèmes du Royaume d'Argent. Kogal tomba aussi amoureux de la déesse Cinn, mais il ne put jamais voir leur enfant, car cela était contraire aux règles célestes. Il avait toutefois tenté maintes fois d'imaginer le visage de ce fils céleste qu'il peignit à de nombreuses reprises.

Un style de combat particulier se pratiquait jadis au Royaume d'Argent. Les Argentais utilisaient une arme redoutable formée de deux épées dont les pommeaux étaient soudés ensemble. Ils s'en servaient à la manière d'un long bâton, obtenant ainsi des résultats beaucoup plus dévastateurs.

Tempérament

Les Argentais vivent depuis si longtemps entourés de remparts qu'ils ont perdu le goût de l'aventure. Ils ont longtemps été aigris et humiliés par le traitement que leur ont réservé les autres royaumes après l'exil du Roi Draka. Leur réaction lors du premier passage des Chevaliers d'Émeraude au château fut plutôt hostile.

Depuis que le Roi Cull a recommencé à faire du commerce avec ses voisins, les Argentais se sont ouverts à nouveau aux idées étrangères. Ils gardent cependant autour d'eux un mur invisible, car ils ne désirent pas parler de leur vie privée. Ils ne veulent surtout pas que les autres les jugent en fonction des actes agressifs du défunt Roi Draka. Les Argentais conservent précieusement leurs biens. Ils préfèrent la négociation à la confrontation.

Valeurs

Les Argentais croient que le monde est un endroit où ils doivent travailler fort et souffrir pour être admis sur les grandes plaines de lumière. Ils étaient jadis des gens de la mer et, même si les murailles les en séparent depuis quelques générations, ils adorent toujours un dieu marin.

Ils aiment aussi leur famille royale, même s'ils ont tendance à comparer les agissements de leur dernier monarque à ceux du légendaire Roi Hadrian, qui les a délivrés de l'ennemi.

Vie de famille

Les Argentais vivent dans de petits villages parsemés çà et là, du château jusqu'au bord de la mer. Le taux de natalité est à la baisse et les parents n'ont qu'un ou deux enfants, puisqu'ils ne peuvent en nourrir plus. Les Argentais traitent leurs enfants avec respect et s'attendent au même respect de leur part. Les parents laissent les enfants faire leurs propres choix dans les familles argentaises et ils exigent très tôt qu'ils soient capables d'expliquer les motifs de leurs décisions.

Loisirs

Même s'ils travaillent très fort, les Argentais prennent régulièrement des pauses et au moins une journée de repos par semaine. Ils se visitent souvent entre familles, mais ils aiment surtout se rencontrer sur la place centrale de leur village, où ils peuvent bavarder et exprimer leurs opinions.

NOURRITURE

Les Argentais ne sont pas de gros mangeurs. Ils préfèrent la qualité à la quantité. Ils aiment piler leurs pommes de terre et leurs légumes. Leurs potages sont riches et nourrissants. Ils préfèrent la bière au vin et chaque village a sa propre recette secrète pour faire de la bière.

ÉDUCATION

Les enfants reçoivent leur éducation dans leur propre village. Ils y apprennent l'histoire, les mathématiques, les grandes lois de l'univers et une fois de plus, le respect.

En général, les enfants poursuivent le même travail que leurs parents. Mais s'ils manifestent le désir d'apprendre un autre métier, ils sont présentés par leur professeur à un artisan du domaine choisi.

COUTUMES ET TRADITIONS

Une fois l'an, les Argentais se rendent sur la plage pour laisser partir sur les flots un radeau chargé d'offrandes au dieu Ialonus qui gouverne toutes les créatures de la mer, afin que leurs pêches soient fructueuses.

GOUVERNEMENT ET LOIS

Les Argentais sont régis par une monarchie qui remonte à des centaines d'années. Il y a peu de lois au Royaume d'Argent, mais elles visent principalement le commerce et l'adoption.

Le Roi Cull est le fils benjamin du Roi Draka, autrefois exilé à Shola. Il porte une couronne toute simple et une ceinture d'argent sur une tunique immaculée. Il lui arrive aussi de porter une ceinture de diamants, lors des grands événements. Cull est un homme juste et honnête, mais qui a toujours honte de la conduite belliqueuse de son père.

La Reine Olivi est une femme aux beaux traits, douce et effacée. Elle a de longs cheveux dorés et des yeux gris très clairs. Elle porte des barrettes de coquillage pour retenir ses cheveux.

Le Prince Rhee, le fils unique du couple, a failli mourir lorsqu'il était bébé. Il a été sauvé par l'intervention magique du Chevalier Santo. Rhee a longtemps été surprotégé par ses parents.

À l'âge de douze ans, il était presque aussi grand que Santo et promettait de devenir un solide gaillard aux épaules larges et aux bras d'acier. Ses cheveux noirs rendent sa peau très pâle et ses yeux encore plus gris.

Il éprouvait toutefois une profonde tristesse, car son père ne lui permettait pas de quitter la sécurité du palais. Pourtant, il rêvait de parcourir le monde. Ce n'est qu'une fois adulte qu'il a pu enfin s'affirmer. À l'insu de ses parents, il s'habillait comme les paysans et se mêlait à eux pour apprendre les véritables besoins du peuple. Rhee sera certainement un grand roi.

COMMERCE

Les Argentais ont cessé de faire du commerce après l'exil du Roi Draka et n'ont recommencé à entretenir des relations d'affaires avec les autres royaumes qu'à la fin du règne du Roi Cull.

Ils étaient de friands consommateurs de fruits de mer avant leur retrait derrière leur grande muraille et ont recommencé à exporter non seulement des délices de l'océan, mais également des perles d'une grande beauté.

Informations importantes sur le royaume d'Argent

Gouvernants : le Roi Cull et la Reine Olivi.

Couleurs : bleu foncé et argent.

Blason : dauphin argent sur fond bleu foncé (autrefois sur celui du Roi Hadrian, on retrouvait une épée entourée de sept hippocampes argentés à la queue recourbée).

Dieu ou déesse : Le dieu Ialonus qui gouverne toutes les créatures de la mer.

Chevaliers originaires de ce royaume : Alex, Brit, Dyksta, Émélianne, Fallon, Herrior, Joslove, Mann, Marika, Néda, Tédéenne et Volpel.

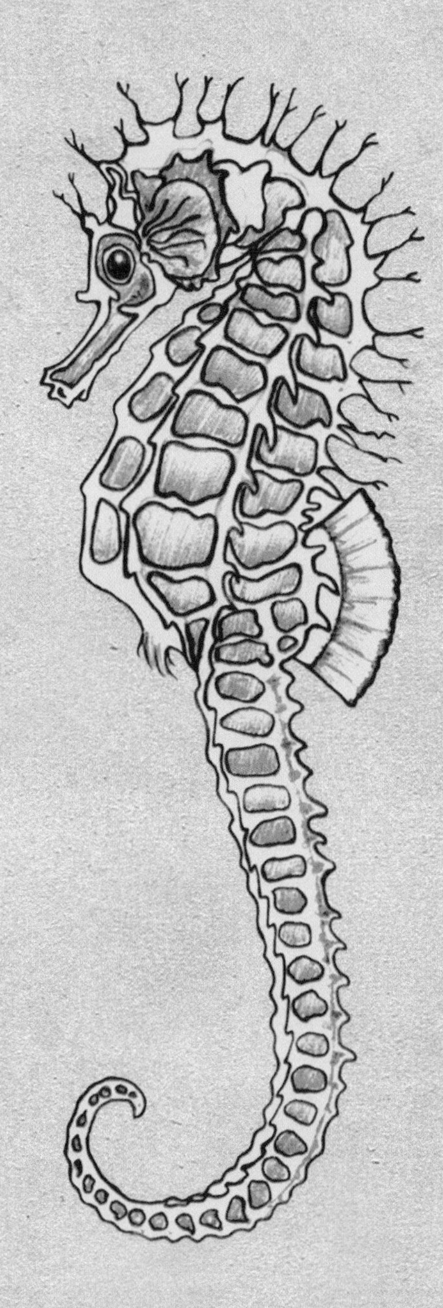

Béryl

LE ROYAUME DE BÉRYL

GÉOGRAPHIE

Le Royaume de Béryl est situé dans les montagnes du sud d'Enkidiev où les forêts se font rares et dégarnies. Il est niché sur les hauts plateaux, dans les montagnes surplombant la Forêt Interdite, entre les vallées du Royaume de Turquoise et l'immensité de la Forêt Interdite.

En raison de l'altitude, l'air y est plus rare et les pluies moins abondantes qu'ailleurs. Ses terres sont rocailleuses et accidentées, mais il y pousse d'innombrables variétés de fleurs aux couleurs éclatantes entre les pierres. D'étroits sentiers creusés dans le sol grimpent jusqu'aux différents plateaux où les paysans entretiennent les canaux d'irrigation et les enfants font avancer les troupeaux de chèvres vers les mangeoires. On y bâtit surtout des maisons de pierre.

La forteresse de Béryl est une très petite forteresse qui n'abrite que la famille royale. Elle a la forme d'un cube et est faite à partir de pierres brutes. Elle ne compte que quatre pièces. Lorsque le Roi de Béryl donne une audience, il le fait dans la pièce principale s'il s'agit d'un ou de deux requérants. Lorsqu'il y en a plusieurs, il tient sa cour à l'extérieur, sur la place centrale.

Le village principal se situe à faible distance du palais. Les autres villages sont parsemés sur les montagnes.

HISTOIRE

Le Royaume de Béryl fut créé lorsque le Royaume de Rubis fut partagé en cinq parties. Il devint l'héritage du plus jeune des Princes de Rubis qui, au lieu de se décourager en arrivant devant ces terres montagneuses couvertes de pierre aux rares forêts, entreprit d'en faire une terre viable. C'est son courage qui attira les premiers magiciens dans ses nombreuses grottes.

Mori est le dernier magicien à avoir veillé sur le Royaume de Béryl. Il savait lire les signes dans le ciel et faire jaillir de ses doigts des éclairs de lumière blanche. Pour abriter ses manuscrits et ses potions, il avait choisi de creuser sa propre grotte au faîte du plus haut pic. Personne ne gardait l'entrée de cette grotte, car le vieil homme n'avait pas d'ennemis. L'étroit couloir, taillé à la rivelaine, s'ouvrait sur une caverne qui aurait pu être spacieuse si elle n'avait pas été encombrée d'une multitude d'étagères en granit. Les tablettes regorgeaient de grimoires, de rouleaux de parchemin, de petites bouteilles de toutes les couleurs, de creusets, de fragments de roches brillantes et d'objets plus difficilement identifiables. Au centre se dressait une table en chêne massif dont la surface avait été maintes fois abîmée par le déversement de certaines potions. Il avait deux cent cinq ans lorsque le dieu déchu Akuretari l'assassina, détruisant du même coup tout le contenu de sa grotte.

Tempérament

C'est un peuple paisible, noble et généreux qui passe le plus clair de son temps à travailler pour assurer sa survie. Il faut être très doué pour persuader un Bérylois de changer ses traditions et de les moderniser pour qu'elles soient plus efficaces.

Les Bérylois sont très attachés à leurs fêtes religieuses. Ils préfèrent tout ce qui est familier, tout en jetant un coup d'œil intéressé aux nouveautés. On dirait que ce peuple refuse de regarder derrière lui, dans le passé, ou devant lui, dans le futur.

Valeurs

Les Bérylois ont besoin de stabilité. Ils se rappellent l'époque où le continent n'était pas en danger, une époque où un homme se distinguait par son labeur. Ils aiment l'ordre et la propreté. Les enfants apprennent très tôt dans la vie à ramasser leurs affaires. Le succès importe peu aux Bérylois. Ils sont modestes et se contentent de peu.

Vie de famille

Les Bérylois n'ont pas plus que deux enfants, par choix. De cette façon, ils peuvent leur accorder plus de temps. Les enfants sont disciplinés et polis de nature. Même à l'adolescence, ils ne sont pas rebelles. L'atmosphère familiale demeure donc amicale et sereine. Tous les membres de la famille travaillent ensemble aux travaux d'irrigation et à la culture du sol et ils profitent ensemble des fruits de leur labeur.

Loisirs

Vivant dans les montagnes, les Bérylois s'adonnent évidemment à l'alpinisme et à l'exploration des cavernes.

Nourriture

Les Bérylois adorent la viande bouillie et les pommes de terre cuites dans le beurre et ils en mangent souvent. Ils inventent sans cesse de nouvelles pâtisseries qu'ils dégustent entre amis. Leur délicieux pain au beurre de miel est servi à presque tous les repas. Les Bérylois préfèrent le vin à la bière, surtout le vin blanc. Ils élèvent les chèvres en troupeaux.

Éducation

Même si les enfants commencent en bas âge à aider leurs parents à assurer leur subsistance, les Bérylois leur fournissent aussi une bonne éducation. Il n'y a pas d'école à proprement dire à Béryl. Chaque jour, après leurs corvées, un adulte de la famille enseigne aux enfants à écrire, à compter et à s'exprimer correctement. Il leur apprend également l'importance de se tenir informé de ce qui se passe dans les autres royaumes sans pour autant passer de jugement.

Coutumes et traditions

Les Bérylois célèbrent la Nuit de l'Équinoxe autour d'un grand feu sur la place centrale devant le palais du roi. Au cours de cette cérémonie, leur magicien prie Abussos, le dieu des entrailles de la terre afin d'invoquer sa clémence pour la saison chaude.

Ils ne coupent jamais d'arbres pour fabriquer des meubles, mais l'importent d'autres royaumes, dont celui de Turquoise.

Gouvernement et lois

Le Roi Wyler de Béryl est à la tête d'un Conseil de cinq personnes qui l'aident à prendre les décisions difficiles pour son peuple. Autrement, il agit comme chef d'état vis-à-vis des autres rois, et juge des petits conflits. Il participe comme ses sujets aux travaux de la terre et à l'entretien du système d'irrigation. Wyler a les cheveux blonds et les yeux clairs.

La Reine Stela est douce, mais ferme. Elle appuie inconditionnellement son mari. Leur fils Dempsey est devenu Chevalier d'Émeraude et leur fille Maud a épousé le Prince Stem de Rubis. Leur premier fils sera fort probablement le prochain Roi de Béryl.

Commerce

Béryl arrivant à peine à assurer sa propre subsistance, ses habitants ont peu de temps pour s'adonner au commerce. La montagne recèle cependant d'importants gisements de fer, mais les Bérylois ne possèdent pas les ressources qui leur permettraient de les exploiter.

Informations importantes sur le royaume de Béryl

Gouvernants : le Roi Wyler et la Reine Stela.

Couleurs : blanc, jaune et bleu.

Blason : bouc blanc au sommet d'une montagne jaune sur fond bleu.

Dieu ou déesse : Abussos, dieu des entrailles de la terre.

Chevaliers originaires de ce royaume : Akers, Bailey, Brennan, Brianna, Candiell, Davis, Dempsey, Dollyn, Drew, Gibbs, Goran, Jakobe, Moher, Onill, Quill, Ryun, Tidian et Yamina.

Cristal

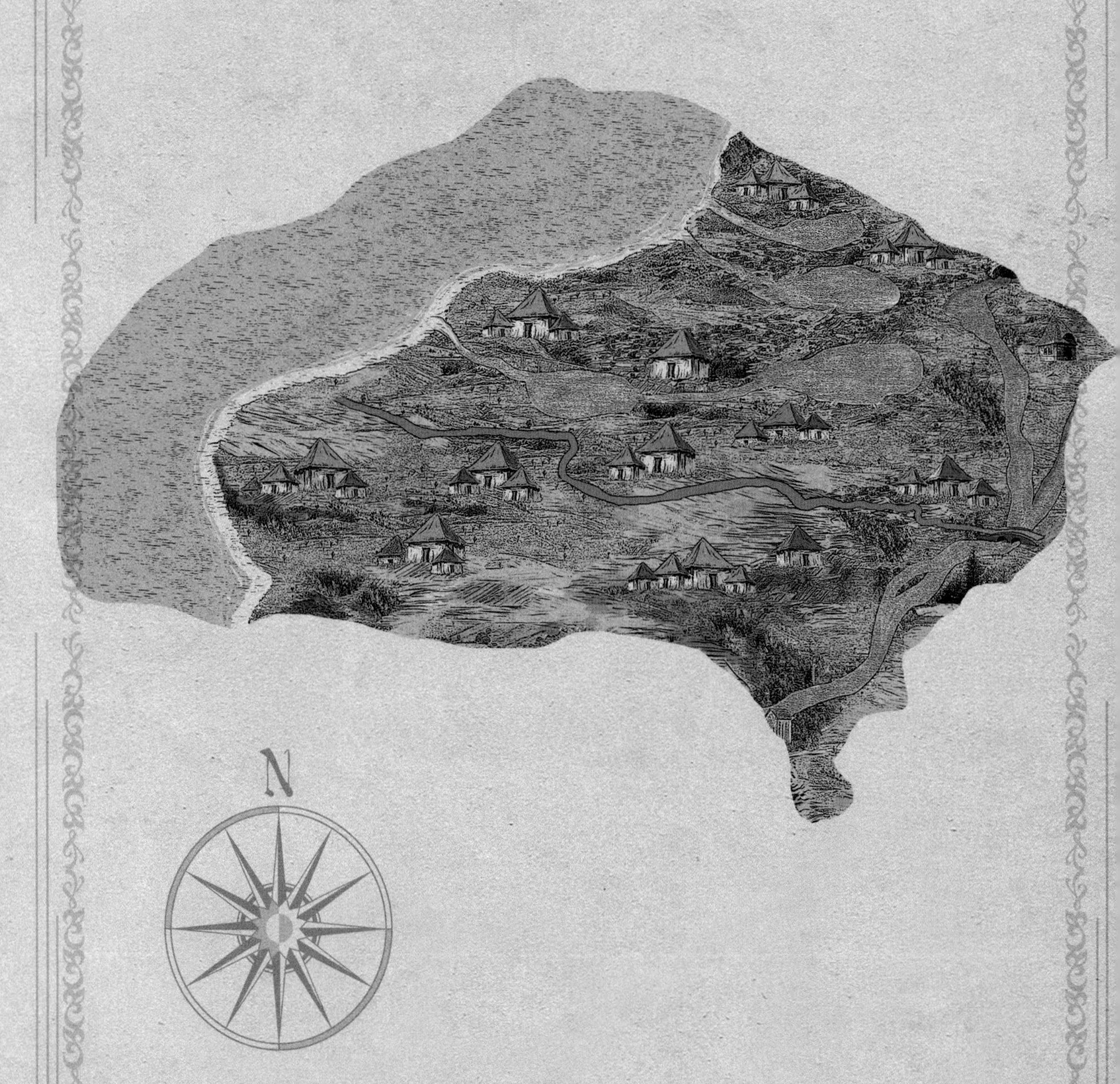

Le Royaume de Cristal

Géographie

Le Royaume de Cristal est une grande étendue de vallons où peu d'arbres poussent et où de nombreux moutons et chèvres paissent en toute liberté. Ses rivières sont étroites, mais profondes. Les villages se situent au-delà des rivières, qui représentent une protection naturelle contre les dragons. Le paysage est aussi ponctué de grands lacs gorgés de poissons d'eau douce. De vallon en rivière, les nombreuses colonies sont éloignées les unes des autres.

On retrouve plus près de l'océan le village de Drape. Un peu plus loin, dans les colline, on trouve celui de Minica et encore plus loin, à l'est, celui de Ligleg. Ce dernier est un immense village logé au creux d'une vallée verdoyante. Les maisons se dressent le long de la rivière et les champs cultivés s'étendent de chaque côté.

Lors de chaque mission de garde sur la côte de Cristal, les Chevaliers d'Émeraude ont graduellement construit un village miniature, au pied d'une petite colline, en retrait de l'océan, près d'un petit ruisseau suffisamment large pour s'y baigner.

Il comprend une dizaine de petites habitations pas très hautes, disposées en demi-cercle où trois adultes peuvent dormir ou se protéger de la pluie. Au centre des chaumières se trouve un foyer de pierre pour faire cuire les repas à l'abri du vent.

Le Royaume de Cristal n'est pas protégé par une falaise, comme Zénor. Très peu d'arbres poussent sur ses côtes continuellement balayées par des vents marins. Il faut marcher pendant des heures à l'intérieur des terres avant d'y rencontrer des forêts. Près de la mer, la terre est légèrement vallonnée et recouverte d'herbe fragile. On ne trouve des buissons que près des cours d'eau. Ce terrain à découvert représente à la fois un mal et un bien pour les Chevaliers d'Émeraude, puisque d'une part, ils y subissent la fureur des éléments, mais que d'autre part, ils peuvent voir arriver l'ennemi à des lieues sur la côte.

Le palais est une immense chaumière située près du moulin à vent du village principal. C'est un bâtiment rustique et non fortifié. Autour du grand hall se succèdent de nombreuses petites pièces, séparées entre elles par des peaux tendues sur les poutres du toit. Un grand foyer occupe le centre du hall. Il y a des fauteuils de bois près de l'âtre. La chaumière du roi n'abrite pas que sa famille, elle accueille aussi de jeunes familles avant qu'elles ne bâtissent leurs propres chaumières.

Des guetteurs armés de glaives sont postés à plusieurs endroits stratégiques du royaume et surveillent le territoire entier. Maîtres du camouflage, ils portent des tuniques aux couleurs s'harmonisant avec leur environnement.

Histoire

Le Roi Raudem de Cristal régnait sur l'immense Royaume de Cristal avant qu'il soit morcelé. À l'origine, le Royaume de Cristal s'étendait jusqu'à la Montagne de Cristal. Il fut fractionné en quatre parties qui devinrent les Royaumes de Zénor, de Fal, d'Argent et de Cristal, dotant tous les jeunes princes de leur propre territoire.

Selon les conteurs, les dragons seraient arrivés par le Désert lors de la première invasion. Les braves guetteurs de Cristal réussirent à tuer les dragons en les attirant dans des trappes où ils furent brûlés vifs. C'est justement cette légende qui inspira les Chevaliers d'Émeraude à utiliser le même stratagème.

Tempérament

Les Cristallois sont fiers, prompts et combatifs. Ils parlent beaucoup et aiment s'amuser. Ils ont toujours une farce à raconter. Ils sont romantiques, éloquents et sociables. Ce sont des gens simples qui ne sont pas attachés aux biens matériels et se contentent de peu. Ils adorent la musique, la poésie, les jeux d'esprit et les contes. Ils sont optimistes et vaillants. Farouchement indépendants, ils n'aiment pas que des étrangers franchissent leurs frontières sans raison.

Valeurs

Ils prônent d'abord et avant tout la franchise entre amis et entre membres du même clan. Ils sont profondément religieux et obéissent aux lois que leur ont léguées leurs ancêtres, même s'ils ne se rappellent plus très bien leurs origines. Ils sont courageux devant la douleur et devant le danger. Ils aiment leur pays et feront n'importe quoi pour le défendre.

Vie de famille

De tous les habitants d'Enkidiev, les Cristallois sont ceux qui sont les moins sévères avec leurs enfants. Ils leur laissent faire absolument tout ce qu'ils veulent, mais insistent pour qu'ils soient de retour à la maison à la tombée de la nuit. La relation entre les parents et les enfants est ouverte et amicale. Ils ne craignent pas de se dire ce qu'ils ont sur le cœur, ce qui évite bien des conflits. Ils ne possèdent aucun texte écrit et les événements importants de leur histoire sont transmis aux enfants par les conteurs, de génération en génération. Les familles habitent de grandes chaumières, réunies en petits groupes qu'ils appellent villages. En général, les membres d'un village sont tous reliés d'une façon ou d'une autre par des liens de sang.

Loisirs

Les Cristallois aiment le jeu, que ce soit les devinettes le soir autour du feu, les billes brillantes qu'ils lancent sur une surface de sable ou le jeu de ballon où deux équipes tentent de traverser le territoire de l'autre pour marquer des points. Ils aiment aussi les paris et gagent sur n'importe quoi.

NOURRITURE

La diète des Cristallois est très variée, puisque ce peuple cultive la terre autant qu'il élève bœufs, vaches, chèvres, moutons et cochons. Ce qui les distingue toutefois des autres peuples, c'est leur amour de la bière. Les Cristallois boivent en toutes occasions, parfois un peu trop.

ÉDUCATION

Ce sont les vieillards qui enseignent aux enfants ce qu'ils doivent savoir de leurs dieux, de leurs coutumes et de leurs croyances, pendant que les parents travaillent aux champs. Les aînés les rassemblent autour du feu le soir, avant qu'ils aillent se coucher et captivent leur imagination. On ne leur apprend pas à écrire, puisque cette société occupée à travailler la terre et à élever des moutons ne conservent rien par écrit.

COUTUMES ET TRADITIONS

Il est coutumier chez les Cristallois de se réunir autour du feu le soir, après le dernier repas, pour entendre l'histoire d'un des nombreux conteurs du village. Ils fêtent la fin des récoltes en offrant des fruits à la déesse Vindemia, qui veille sur eux depuis le début des temps.

GOUVERNEMENT ET LOIS

Le Roi Cal de Cristal est un homme issu du peuple qui comprend les besoins du peuple. Il habite une chaumière un peu plus grande que les autres, car c'est là qu'il entend les plaintes de ses sujets et qu'il procède aux mariages. Il a le privilège de transiger avec les autres dirigeants d'Enkidiev et d'approuver les lois qui concernent tout le continent. Cal est arrivé au pouvoir à un tout jeune âge, mais il a tout de suite commencé à régner avec maturité. Il a de longs cheveux bruns et des yeux gris remplis de sagesse et d'expérience. Pour seule couronne, une chaînette dorée ceint son front. Son épouse, la Reine Félicité, ne participe pas au gouvernement du royaume, mais pourrait fort bien le remplacer en cas de besoin. Effacée et modeste, elle est néanmoins au courant de tout ce qui se passe dans son pays.

COMMERCE

Le Royaume de Cristal est autosuffisant, mais lorsque les récoltes sont abondantes, ses habitants les partagent volontiers avec leurs voisins Argentais ou Zénorois moins riches qu'eux. Les Cristallois élèvent des animaux, cultivent les champs, moulent leurs grains et pêchent le poisson à l'aide de grands filets.

INFORMATIONS IMPORTANTES SUR LE ROYAUME DE CRISTAL

Gouvernants : le Roi Cal et la Reine Félicité.

Couleurs : blanc, vert et rouge.

Blason : un mouton blanc debout entre deux collines vertes sur fond rouge.

Dieu ou déesse : Vindemia, protectrice de la nature.

Chevaliers originaires de ce royaume : Akarina, Bathide, Buchanan, Camilla, Chesley, Cidia, Indya, Kagan, Kaled, Kelly, Kisilin, Maryne, Milos, Noah, Philin, Tazyel, Uhwan, Ursa, Zane et Zandor.

Diamant
N

Le Royaume de Diamant

Géographie

Le Royaume de Diamant est couvert de grandes forêts parsemées de clairières. C'est une contrée tranquille et modérément peuplée, qui se situe au nord de la Montagne de Cristal. Son climat tempéré est un peu plus frais que celui d'Émeraude. Les villages se situent autour du château, là où les terres sont cultivées. De chaque village, on peut voir le château.

Le Royaume de Diamant est bordé au nord-est par Opale, au nord-ouest par les Royaumes des Elfes et des Fées, au sud-est par le Royaume de Rubis et au sud par le Royaume d'Émeraude. La végétation y est dense et les fruits sauvages sont abondants. Il y a de magnifiques saules le long des rivières et des fleurs uniques poussent à leurs pieds. Plusieurs ponts traversent la rivière Tikopia et on y trouve aussi plusieurs moulins.

La forteresse de Diamant est presque aussi imposante que celle d'Émeraude avec ses quatre tours et ses hauts murs, mais sa construction est plus récente. Elle est juchée sur un pic rocheux, en plein centre d'une vallée cultivée par les paysans.

Le palais est divisé comme celui d'Émeraude, sauf que le bleu et l'argent y prédominent, plutôt que le vert et l'or召émériens.

Le château est bien protégé, mais presque la totalité des paysans vivent sans défense, en terrain découvert.

Histoire

Le Royaume de Diamant faisait autrefois partie du Royaume d'Émeraude. Il fut donné à l'un des deux fils du Roi d'Émeraude. Cependant, ce dernier avait prévu qu'après un certain nombre de générations, les deux pays pourraient être réunifiés, advenant la réalisation de certaines conditions. C'est d'ailleurs de cet édit qu'Onyx a tenté de se servir pour agrandir ses terres.

Tempérament

Les Diamantois sont efficaces, protecteurs de leurs terres et généreux. Ils se croient supérieurs aux autres peuples, mais ne s'en vantent jamais. Ils sont plus pragmatiques que romantiques. Pacifiques et modestes, ils ont un grand sens des responsabilités. Les Diamantois ont besoin de confort. Ils prônent la camaraderie, la convivialité et le contentement. Ils aiment se réunir pour bavarder tout en mangeant et en buvant.

Valeurs

Les Diamantois s'entendent bien avec tout le monde. Ils sont d'excellents collaborateurs. Ils aiment les débats intellectuels qui leur permettent d'en savoir davantage sur le point de vue des autres. Ils aiment la qualité et travaillent toujours avec soin. Ils font attention à leur santé. Ils aiment la ponctualité et ne sont jamais en retard.

Vie de famille

Les Diamantois ne sont pas sévères envers leurs enfants, mais insistent pour qu'ils se comportent bien en société. Ils ne frappent jamais leurs enfants, mais ils peuvent les sermonner pendant des heures pour leur faire comprendre leur faute. Ils ne tolèrent pas les conflits entre les enfants et y mettent fin prestement.

Loisirs

Les Diamantois cultivent le sol pour manger et ils cultivent les fleurs pour leur plaisir. Ils accordent un soin jaloux à leurs jardins où ils aiment manger en famille et recevoir leur parenté.

Nourriture

Ils sont friands de beurre et ils en mettent sur tout ce qu'ils mangent, surtout le pain qui est servi à tous les repas. Ils aiment la viande de gibier, les aliments faits avec de la farine, les feuilletés de légumes et la bière. Ils ne cessent d'expérimenter pour changer constamment le goût de cette dernière. Les repas sont généralement pris en famille.

Éducation

Les Diamantois apprennent très tôt à leurs enfants à prendre leurs responsabilités. Ils se servent de contes mettant en vedette des animaux pour leur faire comprendre la nécessité de toujours agir pour le bien commun et non pour satisfaire leur ego. En plus d'apprendre à lire et à écrire, les enfants apprennent que tous les membres de leur société sont importants, bons et égaux. On leur enseigne à ne pas rire des autres et à développer leur propre talent, qui servira à maintenir l'ordre social.

Coutumes et traditions

Les Diamantois aiment fêter. En plus de la fête des fleurs de Parandar, qui durent plusieurs jours, ils soulignent leur attachement à leurs dieux par des rassemblements publics où ils boivent et mangent tous ensemble en remerciant le ciel pour toutes ses bontés.

Les rites funéraires y sont complexes. Les prêtres allument de l'encens le long des remparts du château et se lancent dans des litanies qui peuvent durer des heures. Ils n'ont pas le droit de manger avant la fin de la cérémonie. Un membre de la famille doit lire devant le corps du défunt les formules rituelles destinées à faire admettre son âme sur les grandes plaines de lumière. Le corps est ensuite enveloppé dans un linceul et déposé dans une bière de bois. On le descend dans une fosse et on y jette des pétales de roses avant de l'enterrer. Puis un banquet est organisé à la mémoire du défunt.

Gouvernement et lois

Les Diamantois cherchent toujours à trouver un terrain d'entente plutôt que de se quereller. Ils cherchent toujours à s'informer du point de vue des autres.

Le Roi Kraus règne sur le Royaume de Diamant depuis le décès du Roi Pally. Il a les cheveux noirs et les yeux d'un bleu éclatant. C'est un homme courageux et combatif, prêt à bien des sacrifices pou sauver son peuple des griffes d'Onyx.

La Reine Saramarie est une jeune femme originaire du Royaume du Diamanl, qui su gagner le cœur du Roi Kraus, alors qu'il était Prince de Diamant. Cette relation demeura secrète jusqu'à ce que ce dernier accède au trône et que le nouveau roi la demande en mariage.

Le Roi Pally était un jeune cousin d'Émeraude 1er et il lui ressemblait d'ailleurs beaucoup. Ayant toujours fait preuve de bonté et de justice, il n'a jamais refusé son aide à ceux qui la lui demandait. Il fut aussi profondément aimé de ses enfants. Même s'il avait laissé partir Chloé, sa plus jeune fille, pour qu'elle devienne Chevalier d'Émeraude, Pally avait discrètement suivi ses progrès. Il avait aussi traité son gendre Dempsey comme son propre fils.

La Reine Ella, mère de Kraus, est une belle femme aux cheveux couleur de miel, douce comme de la soie et incapable de prendre sa propre défense.

La Princesse Bela est timide et n'aime pas particulièrement la politique. Elle a épousé le Prince Humey d'Opale.

Commerce

Les Diamantois sont reconnus pour leurs bijoux fabriqués avec de l'ambre et la compétence de leurs menuisiers. Ils font donc le commerce de meubles non seulement élégants, mais aussi fonctionnels et durables. Le Royaume de Diamant est le plus grand producteur de bière d'Enkidiev.

Informations importantes sur le Royaume de Diamant

Gouvernants : le Prince Kraus et son épouse Saramarie.

Couleurs : le bleu et l'argent.

Blason : une gerbe de blé argenté sur fond bleu.

Dieu ou déesse : Lagentia, déesse des arts.

Chevaliers originaires de ce royaume : Alwin, Chloé, Coralie, Dean, Filip, Francis, Franklin, Heilder, Maxense, Nelson, Polass, Rainbow, Sahill, Wanda, Wimme, Xéli, Zerrouk et les défunts Écuyers Cameron et Curri.

Elfes

Le Royaume des Elfes

Géographie

Le Royaume des Elfes est un royaume côtier. Les immenses forêts sont denses et les branches des arbres forment des dômes étanches à certains endroits. Ils empêchent même la lumière de passer. Les rivières Tikopia et Mardall traversent ce pays et leurs rives sont parfois ponctuées de gros rochers. Certains étangs, lovés entre de vieux arbres, ont des propriétés magiques. La plupart des Elfes ne savent pas nager, car ils craignent de déplaire aux esprits qui veillent sur les créatures des rivières en entrant dans l'eau. Cependant, certains des plus jeunes commencent à imiter les Chevaliers d'Émeraude qui se purifient dans les étendues d'eau. Quelques clans, dont celui des Awanalis, fabriquent de petites embarcations dont ils se servent pour aller visiter des parents vivant au sud du pays.

Les plages du Royaume des Elfes sont déchiquetées par des récifs ressemblant à des crocs pointus qui les protègent des attaques en provenance de la mer. Les forêts s'étendent jusqu'au bord de la mer. Elles recèlent toute la magie des Elfes.

Près de l'océan, là où s'arrêtent les galets, les Elfes ont construit une grande hutte protégée par les arbres afin d'abriter les Chevaliers d'Émeraude de garde sur la côte. Cette hutte en jonc offre beaucoup de confort malgré son aspect primitif. Il y règne également une agréable fraîcheur. Les rares ouvertures laissent entrer le vent le plus doux. Aménagé au centre de la pièce, un cercle de pierre leur permet d'allumer du feu le soir. Derrière la hutte, un enclos a été aménagé pour les chevaux, protégé à l'ouest par la demeure et au nord par des rochers sortant de terre.

Dans une clairière, non loin du village principal du royaume, s'élèvent de curieux monuments de granit dont certains ressemblent à des stèles funéraires et d'autres à d'énormes tables basses. De grandes cérémonies eurent lieu jadis à cet endroit, mais elles ne furent pas menées par les Elfes. Ces cercles de pierre existaient déjà lorsque leurs ancêtres traversèrent l'océan pour s'installer sur Enkidiev. Dans une autre partie du royaume, on trouve un curieux monticule de terre au milieu des arbres. C'est là que furent cachés les journaux des anciens Chevaliers et des livres précieux que voulaient détruire le Magicien de Cristal. Les Elfes vivent dans la forêt. Ils construisent de petites huttes qui ne servent qu'à dormir. Leurs toits de chaume sont faits de branches entrelacées, laissant entrevoir la silhouette de leurs habitants à la lueur des petits feux qui y brûlent. Même le roi habite une hutte toute simple.

Histoire

Les Elfes sont arrivés sur Enkidiev après les Fées qui ont volontiers partagé leur territoire avec eux. Ils sont venus de la mer, il y a des milliers d'années, et ont refusé toute alliance avec les humains qui établirent les Royaumes de Diamant et d'Opale.

Ils sont des maîtres du camouflage, mais il n'en a pas toujours été ainsi. Autrefois, lorsqu'ils habitaient leur grande île d'Osantalt, ils vivaient ouvertement sur les plaines, dans les vallées et au faîte des montagnes. Ils ont quitté la mère patrie pour suivre l'Immortel Danalieth qui les aimait beaucoup, mais qui déplorait la sécheresse de leur cœur. Il leur avait donc offert de les conduire dans un pays où leur ingéniosité serait mise à l'épreuve, là où ils apprendraient à pleurer. Aucun Elfe n'a tenté de retourner à Osantalt, surtout parce qu'ils ne savent plus très bien comment s'y rendre.

Lorsque le Roi Hadrian d'Argent voulut préserver son royaume de la colère du Magicien de Cristal, c'est aux Elfes qu'il s'est adressé. Ensemble, les deux rois construisirent un tertre impossible à sonder où ils cachèrent les livres que l'Immortel voulait détruire. À l'intérieur du monticule se trouve une grande pièce circulaire au plancher et au plafond de marbre gris. Les murs sont couverts de vieux ouvrages et de parchemins. Au milieu se dresse une table de pierre, comme un autel sacré, où repose une longue épée double ayant appartenu à Hadrian d'Argent. C'est un endroit protégé par une puissante magie.

Les Elfes sont des êtres pacifiques, mais les jeunes réagissent devant les menaces qui pourraient leur arracher leur pays. Ils ont commencé à se servir d'arcs et de flèches, après avoir observé les Chevaliers d'Émeraude qui les utilisent. Leur vision étant perçante, une fois la maîtrise de cette arme acquise, il ne leur fut pas difficile de toucher même les cibles les plus petites. Ils sont désormais les meilleurs archers du continent.

Tempérament

Les Elfes sont impénétrables et un lien invisible les unit tous. Êtres craintifs, ils se fondent dans leur environnement comme des caméléons. Ils cèdent facilement sous pression et détestent les conflits. Ils portent leurs cheveux blonds très longs et ils ont les yeux de la même couleur que les feuilles des arbres. Leurs oreilles sont pointues. Ils parlent une langue douce et mélodieuse ressemblant au murmure du vent, mais connaissent aussi le langage des humains. Leur peau est très sensible. Un homme Elfe exprime son affection à la femme qu'il aime en frottant le bout de son nez sur son oreille pointue.

Ils vivent plus longtemps que les humains qu'ils évitent plus souvent qu'autrement et entretiennent des liens étroits avec les arbres, les ruisseaux et les animaux. Ils transigent parfois avec leurs voisins les

Fées qui leur ressemblent davantage que les humains et préfèrent observer de loin les visiteurs qui traversent leurs terres plutôt que d'aller à leur rencontre.

Les Elfes portent des tuniques grises ou vertes, tissées de fil léger, mais si résistant qu'il ne s'use jamais. Ces vêtements changent de couleur selon l'environnement. Leurs couvertures sont faites d'un tissu mince, très soyeux, et s'avèrent étonnamment chaudes.

Ils vivent sur le même continent que les humains, mais ne se mêlent jamais de leurs affaires. Ils rêvent d'un monde paisible où leurs enfants pourront grandir en toute innocence. Les Elfes se sentent supérieurs aux autres races, mais ils ne les détestent pas. Ils sont introvertis et indépendants. Les plus âgés s'ennuient de leur mètre patrie, la grande île d'Osantalt.

Valeurs

Les Elfes croient à la modération en toute chose. Sous leur façade glaciale, ils cachent une grande admiration pour tout ce qui est magique. Même si leur premier réflexe est la fuite, ils ont tout de même le courage de recommencer à zéro après avoir essuyé un coup dur. Ils ont un grand respect pour les animaux et pour la nature en général.

Vie de famille

Les Elfes vivent dans de nombreux villages dans les forêts qui bordent la rivière Mardall et l'océan. Même s'ils ont un père et une mère, les enfants sont généralement élevés par tous les membres du village. Ils dorment dans la hutte de leurs parents, mais le jour, ils se joignent aux autres enfants sur qui veillent les aînés. « Anyeth » est un mot d'amour qu'utilisent souvent les couples Elfes pour exprimer leur affection pour leur conjoint.

Loisirs

Les Elfes ne travaillant pas la terre et n'élevant pas d'animaux, nous sommes portés à penser qu'ils sont une société de loisirs. Puisqu'ils ne sont pas soumis aux mêmes contraintes que les autres peuples, ils passent tout leur temps à prendre soin de leurs forêts et à soigner les animaux blessés. Ils ont appris, au contact des humains, à jouer à certains jeux d'esprit, car leur curiosité intellectuelle est grande, mais encore peu s'y adonnent. Tout récemment, les jeunes Elfes ont appris le tir à l'arc et y ont tout de suite excellé.

Nourriture

Les Elfes mangent ce qu'ils trouvent dans la nature. Ils se nourrissent donc de fruits et de légumes sauvages, de racines et même de fleurs. Ils ont appris à faire du thé au contact des humains et en raffolent. Ils ne consomment jamais la chair des animaux.

Éducation

Les enfants apprennent tout ce qu'ils doivent savoir des aînés qui les rassemblent au moins une fois tous les jours pour leur raconter des anecdotes que leur ont racontées leurs propres grands-parents. Le savoir des Elfes se transmet oralement. Leurs facultés leur permettent de conserver une grande quantité d'information dans leur esprit. Leur mémoire ne se détériore pas avec l'âge. Ils n'ont donc nul besoin de consigner leur savoir dans des livres.

Les enseignements sont strictement oraux. C'est ainsi que la connaissance est transmise de génération en génération.

Les ancêtres des Elfes utilisaient un langage écrit, mais il a été remplacé par la tradition orale chez les Elfes qui ont émigré à Enkidiev. On peut retrouver certains textes anciens à la bibliothèque du Château d'Émeraude.

Coutumes et traditions

Les unions sont décidées par les parents. Un Elfe offre une « azilianine » à une femme pour sceller les liens du mariage. Il s'agit d'un bracelet qui se porte à la cheville.

Les Elfes vénèrent un très vieux chêne. Son tronc rugueux est si gros que cinq hommes ne peuvent en faire le tour avec leurs bras en joignant leurs mains. Les arbres recèlent toute la connaissance du monde.

Le chêne sacré abrite l'esprit du dieu Vinbieth. Il existait déjà lorsque les Elfes sont arrivés sur le continent. Il répond à toutes les questions posées par ceux qui possèdent de la magie et sa réponse est sacrée pour les Elfes.

Gouvernement et lois

Le Roi Hamil gouverne tout le territoire. Il prend généralement les décisions qui touchent tous les Elfes après avoir consulté les chefs de clans, dont ceux des Aronals, des Awanalis et des Enalds. Il n'y a qu'en cas de guerre qu'il peut agir seul.

Le trône n'est cédé qu'aux hommes. Les femmes servent à consolider les alliances entre les clans, même lorsqu'elles sont de sang royal. Puisqu'il y a rarement de disputes entre Elfes, le roi est libre de mener le même genre de vie insouciante que le reste de son peuple.

Comme tous les Elfes, le Roi Hamil a les oreilles pointues, de longs cheveux blonds et des yeux verts. Il est l'Elfe le plus sensible de son peuple. Il est impossible de lui donner un âge. Son visage n'accuse aucune ride, mais dans ses yeux brille une sagesse très ancienne. Fils du Roi Amaril, il a épousé la Reine Sanadrielle, mais des opinions différentes sur la façon d'élever leurs enfants les ont lentement éloignés l'un de l'autre et la reine est retournée vivre dans son clan, donnant ainsi à Hamil la permission de se remarier avec la Reine Ama.

La Princesse Amayelle, fille du Roi Hamil et de la Reine Sanadrielle, a épousé le Chevalier Nogait d'Émeraude, même si elle avait été promise à Elbeni, fils du chef du clan des Aronals, un jeune homme ambitieux dont la réputation laissait penser qu'il ferait passer ses intérêts politiques avant ceux de sa femme. Amayelle a donc défié son père et les coutumes de son peuple pour épouser un humain. Cette union a cependant été facilitée par le fait que la princesse et le Chevalier ont conçu un enfant avant même de parler de mariage. C'est Vinbieth, le dieu des arbres, qui sanctionna leur union, ne donnant aucun choix aux parents déçus que de l'accepter.

Amayelle a un grand désir de ressembler aux humains et d'appartenir à leur monde. La princesse tient d'ailleurs à accomplir la plupart des tâches ménagères elle-même, car cela lui fait oublier ses origines. Pourtant, c'est son essence elfique que Nogait aime le plus. Elle s'entête à porter des vêtements à la mode émérienne, attache ou tresse ses cheveux et pratique même l'art exquis de la tapisserie. Son fils, Cameron, réunit les qualités des deux races.

Commerce

Les Elfes sont autosuffisants. Ils ne produisent rien en grandes quantités et, de toute façon, ils n'ont aucun intérêt pour le commerce.

Informations importantes sur le royaume des Elfes

Gouvernants : le Roi Hamil et la Reine Ama.

Couleurs : vert et noir.

Blason : un chêne aux nombreuses branches sur fond noir.

Dieu ou déesse : Vinbieth (Ordos dans la langue des humains) qui protège les arbres.

Chevaliers originaires de ce royaume : Andaraniel, Arca, Bianchi, Botti, Daviel, Derek, Dienelt, Jenifael, Ranayelle, Robyn, Shandini, Valici et Hawke.

Émeraude
N

Le Royaume d'Émeraude

Géographie

Sur les terres du Royaume d'Émeraude, des forêts s'étendent à l'ouest de la Montagne de Cristal, tandis qu'il y a des champs à l'est. Le terrain est plus praticable à l'est de la montagne où les terres cultivées s'étendent à perte de vue.

Une route part du château et descend vers le sud, reliant plus d'une centaine de villages du nord et du sud. Un sentier part de cette route et longe la rivière Wawki. Cette rivière paresse au pied des collines, à quelques kilomètres de la forteresse d'Émeraude. Un autre sentier part derrière le château et conduit à une clairière, au milieu de laquelle s'élèvent des menhirs anciens qui forment un cercle. Seuls les chasseurs s'y risquent, car de féroces sangliers se cachent dans les fourrés.

La Montagne de Cristal est réputée être le repaire du Magicien de Cristal. Son sommet est continuellement coiffé de nuages et sur son flanc sud escarpé nichent des aigles et des faucons. C'est à l'intérieur d'une grotte creusée sur le flanc de ce pic imposant que la Princesse Amayelle trouva l'inscription laissée par Kira, emprisonnée dans le passé.

Le climat d'Émeraude est tempéré. Après de longs mois de pluie et d'obscurité, les vents chauds chassent les nuages vers le nord, provoquant de violents orages. Puis le soleil recommence graduellement à briller dans un ciel de plus en plus bleu. C'est le début de la saison chaude et des semences. Il fait relativement froid lorsque le soleil se couche au Royaume d'Émeraude.

Les forêts regorgent d'animaux sauvages. On y voit des cerfs, des biches, des sangliers, des renards, des lièvres et, parfois, des grands chats de Rubis. Les marais abritent des grenouilles et aussi de petits animaux qui y nagent en permanence. Dans les plaines, au nord-est paît désormais un grand troupeau de chevaux-dragons.

Le Château d'Émeraude est une grande forteresse entourée de douves. Ses murs fortifiés sont surmontés de créneaux, et ses grandes portes et son pont-levis sont toujours ouverts au peuple. Une passerelle court le long des remparts, surplombant la grande cour, où s'entraînent les Chevaliers. Sur l'un des côtés intérieurs de la muraille sont gravées les règles du Code des Chevaliers d'Émeraude.

La cour intérieure du palais est un oasis de fraîcheur. C'est un jardin entouré de murs ensevelis sous un lierre luxuriant. On y trouve une fontaine entourée de bancs de pierre, des arbres fruitiers et des fleurs odorantes.

Le palais se divise en deux grands axes perpendiculaires et compte trois étages. On y a accès en grimpant sur le portail, abrité sous un porche et en poussant les énormes portes vertes richement travaillées. Le rez-de-chaussée du palais est composé des cuisines, des immenses garde-manger et des quartiers des serviteurs. Les pièces plus officielles, comme la bibliothèque, la salle des armes, les salles d'audience, les salons privés, le hall du roi et les salles de réception se trouvent au deuxième étage. Le dernier étage est occupé par les appartements royaux et très peu de gens y ont accès. Les corridors du palais sont décorés de statues, d'immenses tapisseries et d'énormes vases de fleurs.

Dans les cuisines, on retrouve une grande table de bois massive. Des paniers d'osier contenant des fruits sont alignés sur la table et des marmites pendent du plafond. Plusieurs armoires s'alignent le long des murs et les étagères sont chargées de sacs et de pots de toutes les couleurs. Du feu crépite en permanence dans au moins cinq des dix immenses fours creusés dans le mur extérieur.

Un grand escalier de pierre conduit à l'étage de la bibliothèque. C'est une pièce immense meublée de tables de bois et d'étagères chargée de livres, de plans, de parchemins et de correspondances anciennes. Des armoires contiennent des documents plus précieux et, en particulier, la correspondance entre les souverains du continent. Une section de la bibliothèque renferme des livres dangereux. Le magicien Élund en avait toujours défendu l'accès à ses élèves.

Le hall du roi est l'endroit où ont lieu les banquets et où les élèves prennent leurs repas. Une fois les repas terminés, les tables sont repoussées le long des murs. Pour rendre hommage à Hadrian, Cassildey, alors Écuyer, avait déposé en son centre une stèle représentant le visage du Roi d'Argent.

La salle du trône est une immense salle de marbre blanc drapée de vert et d'or dominée par un trône serti de pierres précieuses.

Il y a également une salle d'audience privée et une salle d'audience publique où le roi règle les conflits du peuple. Ces salles sont décorées des fanions d'Émeraude. Le plancher de la plus grande des deux salles est couvert de carreaux brillants et en plus des fanions, on peut y voir, sur des tapisseries, des scènes du règne de plusieurs des rois d'Émeraude.

Le trésor royal est caché dans une petite salle attenante aux appartements du roi, tout au bout d'un couloir où sont suspendus les portraits des anciens monarques. Le trésor se trouve dans un immense coffre et est composé de bijoux, colliers, broches, bagues, joyaux, rubis, topazes, diamants et autres pierres précieuses accumulées par les ancêtres d'Émeraude 1er. La plupart des pierres précieuses proviennent de Shola.

Les couloirs conduisant aux appartements royaux sont décorés d'un côté de tapisseries, de statues de dieux, de déesses et d'anciens rois, ainsi que de tableaux représentant les reines d'une autre époque et jalonnés de portes donnant accès aux divers appartements royaux. De l'autre côté, le mur est percé de larges fenêtres offrant une vue sur la cour intérieure.

Les appartements du roi sont aisément reconnaissables à leurs majestueuses portes dorées. On y trouve l'antichambre, le salon privé, la salle des bains et la chambre du monarque, ainsi que le balcon qui surplombe la cour.

La salle d'armes renferme une très impressionnante collection de lances, d'épées et de poignards anciens ainsi que quelques armures ayant appartenu aux anciens Chevaliers.

La chapelle du palais est un sanctuaire où tous les cultes d'Enkidiev sont représentés. Elle n'est pas uniquement réservée au roi. Tous peuvent aller s'y recueillir.

Au rez-de-chaussée, une pièce sert de bains. Les bassins sont creusés dans le roc où les courants volcaniques gardent l'eau très chaude. Les murs et les planchers des bains sont recouverts de tuiles brillantes, et des lampes pendent du plafond pour éclairer cette pièce sans fenêtres. La vapeur s'échappe par de nombreux orifices creusés dans le plafond. Au fond de la pièce, on trouve des salles de massage.

Des passages secrets sont dissimulés un peu partout derrière les murs du palais. On y a accès notamment par la salle d'armes, la bibliothèque et l'écurie. Certains conduisent sous le palais, d'autres vers l'extérieur, au milieu des champs. Dans la pièce qui servait autrefois de salle de classe à Élund et à Farrell, derrière la table de cristal, une porte cachée s'ouvre sur un escalier qui descend jusqu'à une porte ensorcelée. Derrière cette porte s'étend une immense grotte dont la voûte est soutenue par des piliers et où pendent des franges calcaires rappelant les dents d'un loup. Une nappe d'eau glacée y reposait jadis, mais elle fut asséchée par Onyx. Il s'agissait du miroir de la destinée, un démon de Jérianeth qui pouvait montrer l'avenir.

Sous le palais on trouve, en plus de la grotte et de la crypte, des tunnels souterrains menant à diverses salles utilisées jadis par les Anciens. L'une d'elles est une salle de rituel où des bancs de pierre font face à un autel. Les catacombes sous le grand escalier servent à ensevelir les rois.

Deux des quatre tours sont reliées au palais, soit l'ancienne tour d'Élund et l'autre où logeaient les élèves magiques, devenues les tours de Hawke et de Farrell par la suite. Les deux autres tours, soit celle d'Abnar et la vieille prison, sont indépendantes. Pour avoir accès à ces tours, il faut traverser toute la cour. La tour de Maître Hawke fut en partie détruite lors d'une attaque d'Amecareth.

Le hall des Chevaliers est un bâtiment séparé ,mais qui possède toutefois un accès au palais au bout d'un long corridor menant aux bains vers le nord. Situé près des cuisines au rez-de-chaussée et des chambres des jeunes élèves au deuxième étage du château, le hall est une pièce au plafond très haut où les Chevaliers peuvent manger et s'entraîner lors de la saison des pluies. Trois de ses murs sont percés de fenêtres qui sont recouvertes de tapisseries durant la saison froide. Au fond du hall se dresse un immense foyer. Une galerie est percée du côté du palais sur laquelle on peut voir ce qui se passe dans le hall. Les chambres des Chevaliers se trouvent en partie au rez-de-chaussée. Celles du deuxième étage furent utilisées plus tard, lorsque le nombre des Chevaliers augmenta.

Les écuries se trouvent tout de suite après le hall des Chevaliers et on peut y avoir accès du côté sud du grand corridor des chambres. Elles contiennent de nombreuses salles et toutes ses portes extérieures donnent sur un grand enclos au bout duquel repose un étang. Sur le mur le plus éloigné sont suspendues des centaines de brides. Ce mur donne aussi accès aux grottes sous le palais. On peut utiliser cette sortie de secours pour aller s'abriter dans les cavernes ou utiliser un de ses nombreux couloirs pour s'enfuir dans la forêt, au pied de la Montagne de Cristal. L'un de ces corridors mène à l'endroit le plus magique de tout le royaume : une clairière dominée par un cercle de menhirs.

Dans la cour du château couverte de sable, on trouve un puits profond. La nuit, la cour est éclairée par de nombreuses torches et le pont-levis est remonté pour assurer la sécurité des dormeurs. La garde personnelle du roi surveille le château en l'absence des Chevaliers, comme elle le faisait avant la résurrection de l'Ordre.

La forge de Morrison se situe du côté est de la cour, adossée à la muraille. Dans la forge, on trouve les fourneaux rougeoyants, les enclumes, les seaux remplis d'eau froide, des établis set des soufflets.

Histoire

Les Fées perdirent beaucoup de territoire lors de l'arrivée des Elfes qui s'établirent dans leurs forêts les plus denses et en raison d'une alliance qu'elles contractèrent avec le Royaume de Rubis. Une princesse des Elfes épousa un héritier de Rubis. Les Fées leur octroyèrent alors une partie de leurs terres qui devinrent le Royaume d'Émeraude.

Sous le commandement du Roi Draka, les soldats d'Argent attaquèrent le Royaume d'Émeraude afin de l'annexer à leurs terres. Draka fut défait lorsque tous les royaumes se liguèrent contre lui.

L'histoire du Royaume d'Émeraude est marquée par une tragédie récemment découverte dans les archives de la bibliothèque. Lors de la première invasion, le Roi Jabe immola un petit garçon mauve pour mettre fin aux ravages des hommes-insectes. Un tel sacrifice n'aurait jamais dû se produire.

Ce royaume connut aussi une étrange épidémie qui emporta plusieurs paysans, dont les parents d'Armène. Il est possible que certaines céréales aient été infectées par des insectes, car seul un secteur du pays fut touché.

Le protocole établi par les premiers dirigeants d'Enkidiev prévoit que lorsqu'un roi meurt sans laisser d'héritier, les dignitaires de la cour peuvent choisir un prince ou une princesse d'un autre royaume pour le remplacer. Cependant, le peuple d'Émeraude ne voulut pas d'un monarque étranger à la mort d'Émeraude 1er. Il désirait être gouverné par un de ses propres citoyens, quelqu'un qui soit juste et qui comprenne ses besoins. Le nom de Farrell se mit à courir sur toutes les lèvres. Les Émériens ignoraient évidemment qu'il était en réalité Onyx.

Onyx se servit d'un vieil édit pour tenter de reprendre les terres de Diamant octroyées jadis à un prince émérien. Ce ne fut pas une mince affaire de lui faire lâcher prise.

Tempérament

Les Émériens sont d'abord et avant tout des gens réalistes, travaillants et endurants. Ils sont fiers de faire partie du royaume le plus riche d'Enkidiev. La géographie variée d'Émeraude, des grandes plaines à ciel ouvert aux denses forêts, a donné naissance à différents types de tempéraments, certains plus indépendants que d'autres. Cependant, tous les Émériens sont courageux et tenaces. Rien ne leur fait peur.

Valeurs

Les Émériens tiennent mordicus à la politesse. Ils s'excusent avec sincérité et ils félicitent les autres lorsqu'ils ont du succès. Ils sont larges d'esprit, flexibles et heureux d'accueillir des ressortissants des autres royaumes. Ils sont honnêtes et intègres et s'attendent des autres qu'ils fassent également preuve d'honnêteté et d'intégrité. Ils sont très tolérants et détestent la violence. Les Émériens sont terre à terre et discrets. Ils ne se vantent pas de leurs mérites.

Vie de famille

La vie de famille est très importante pour les Émériens. Ils gardent contact avec la parenté qui vit dans d'autres villages et organisent au moins une fois par année une rencontre pour tous les revoir. Les pères de famille sont moins affectueux avec leurs enfants que dans les autres royaumes, car ils savent qu'ils deviendront des adultes un jour et qu'ils doivent apprendre très jeunes à se responsabiliser. Cependant, les mères compensent ce manque d'affection par une foule de petits gestes de tendresse. Ce sont les hommes surtout qui travaillent la terre tandis que les femmes s'occupent de la maison, des repas et de la lessive.

Loisirs

Les Émériens savent se détendre. Une fois les corvées terminées, ils aiment jouer à des jeux d'adresse entre familles et même parfois entre villages. Toutefois, aucun prix n'est attribué aux gagnants, puisque le but de cette compétition amicale est de resserrer des liens.

Nourriture

Ils mangent évidemment les fruits et les légumes qu'ils cultivent. Le climat d'Émeraude est favorable à une grande variété d'arbres fruitiers et de vignes. Les Émériens fabriquent donc de nombreux types de vins. Il y a aussi de nombreux élevages d'animaux pour la viande et le cuir.

Éducation

Les enfants fréquentent de petites écoles de village où ils apprennent à lire, à écrire et à compter. Cependant, au bout de quelques années, ils abandonnent l'école pour aller travailler avec leurs parents aux champs jusqu'à ce qu'ils se marient et aient leurs propres enfants.

Coutumes et traditions

Comme tous les autres habitants d'Enkidiev, les Émériens respectent les Fêtes de Parandar. Pour l'occasion, ils ouvrent les portes du château à tous les commerçants locaux ou étrangers qui peuvent y vendre leur marchandise sur des étals.

Les Émériens brûlent leurs morts dans une cérémonie silencieuse et respectueuse.

Il est coutume pour un père de venir présenter ses enfants au roi peu de temps après leur naissance. À leur arrivée au château, les visiteurs sont d'abord reçus dans le grand hall décoré de vert et d'or où on leur sert à boire, puis ils sont conduits jusqu'au roi ou son représentant. Tous les sujets doivent mettre un genou en terre lorsqu'ils s'adressent à leur monarque.

Gouvernement et lois

Les Émériens sont gouvernés par un roi qui règle les disputes et qui protège son peuple, ce royaume étant le plus convoité de tous. Ses lois sont souples, mais parfois ambiguës. Le roi fait alors appel à ses conseillers pour les interpréter d'une façon équitable.

Les reines d'Émeraude doivent se marier dans une tunique blanche piquée d'innombrables émeraudes, lacée par des fils d'or sur les bras, les épaules et dans le dos.

Les mariages des Chevaliers d'Émeraude sont célébrés dans la salle du trône, devant le roi, le magicien, les Chevaliers et les dignitaires de la cour. En cadeau de noces, le roi offre généralement des terres aux nouveaux époux.

C'est le Roi Onyx qui règne présentement sur Émeraude, Kira ayant refusé le trône qui lui revenait de droit, et le peuple ayant élu Farrell pour le gouverner.

Bien contre son gré, le Chevalier Swan est devenue Reine d'Émeraude. Le paysan qu'elle avait épousé ayant été possédé par l'âme d'Onyx, elle s'est retrouvée, du jour au lendemain, mariée au renégat. Puisqu'ils avaient déjà des enfants, elle est restée auprès de lui et a appris à le connaître.

Le Prince Nemeroff, fils aîné d'Onyx et Swan, est mort lors de la destruction de la tour de Maître Hawke par l'Empereur Noir. Onyx avait un faible pour son plus vieux, car il ressemblait beaucoup à Swan. Il était intelligent, impétueux et incisif. Il aurait été un magnifique roi. Nemeroff avait les cheveux noirs et les yeux pâles de son père, mais son visage était une réplique miniature de celui de sa mère. Il avait aussi hérité de son énergie orageuse et avait également tendance à régler ses conflits avec l'épée.

Le Prince Atlance est le fils cadet d'Onyx et Swan. Il fut kidnappé par le dieu déchu Akuretari, lorsqu'il n'avait que quatre ans et gardé prisonnier un long moment au Royaume de Zircon. De tous les fils du roi, il est le plus influençable. Son enlèvement l'a rendu effacé et craintif. Il n'a jamais d'opinion personnelle et il n'aime pas être seul. Atlance ressemble à sa mère, même s'il a les cheveux et les yeux de son père. Son comportement, toutefois, ne ressemble pas à celui de ses parents.

Le Prince Fabian, troisième fils d'Onyx et Swan est un mystère pour tout le monde, car il a les cheveux blonds comme les blés. Même si tous les grands-parents et arrière-grands-parents de cet enfant ont les cheveux très sombres, ses parents n'ont aucun doute que cet enfant est le leur, car son visage ressemble à celui de Swan. Rêveur comme Farrell, Fabian excelle autant en poésie qu'en maniement des armes. Il n'a pas la langue dans sa poche et revendique constamment ses droits de prince. Ses parents lui prédisent un bel avenir de soldat.

Le Prince Maximilien, fils benjamin d'Onyx et Swan fut adopté par le couple. Né d'une paysanne morte en couches, Maximilien fut ramené par Santo à Émeraude. Déjà petit, l'enfant affichait un calme désarmant. Il ne ressemblait ni à ses frères ni à ses parents. Ses cheveux bruns bouclent sur ses épaules et ses yeux noisette brillent de tendresse. Il n'a aucune aptitude magique, mais il a d'autres talents. Il est un excellent cavalier et un bon négociateur.

On ne peut pas passer sous silence le Roi Émeraude 1er qui régna pendant cent soixante-dix ans sur le pays. Il a été pendant longtemps le plus âgé et le plus sage des monarques d'Enkidiev. Grand, corpulent, ses cheveux blancs étaient lissés sur ses épaules. Sa barbe était taillée en pointe. Ses yeux gris perle étaient francs et honnêtes. Il n'avait cependant pas le sourire facile. Vieillissant, il nécessita plus de soins. Veuf deux fois, il n'avait jamais eu d'enfants. Kira est devenue sa pupille et il l'a aimée comme un père. Il est décédé un peu après son deux centième anniversaire.

Commerce

Les Émériens font surtout du commerce entre eux. Ils arrivent de partout au château pour vendre fruits, légumes, sacs de grain et viande. Périodiquement, des marchands d'autres royaumes se présentent au château, et plus particulièrement durant les Fêtes de Parandar, pour vendre des étoffes, du métal, des chevaux ou autres produits plus rares.

Informations importantes sur le Royaume d'Émeraude

Gouvernants : le Roi Onyx et la Reine Swan.

Couleurs : le vert et l'or.

Blason : la croix d'Émeraude sur fond vert surmontée d'un dragon ailé et de deux croissants de lune.

Dieu ou déesse : Dressad, le dieu des récoltes et Liam, le dieu des tempêtes.

Chevaliers originaires de ce royaume : Ambre, Analia, Armil, Cassildey, Edul, Ellie, Fanelle, Ivy, Koshof, Liam, Loreli, Norikoff, Nurick, Odélie, Thalie et Vélaria.

Esprits

LE ROYAUME DES ESPRITS

GÉOGRAPHIE

Le Royaume des Esprits (ou Espérita) est un univers qui fut créé de toutes pièces par l'Immortel imposteur Nomar. La cité d'Espérita reposait au fond d'une gigantesque cavité creusée dans le glacier de ce royaume nordique. Entourée de falaises immaculées, hautes de plusieurs kilomètres, Espérita n'entretenait aucun contact avec le monde extérieur. Cité de légende, elle conservait sa chaleur grâce à un pacte conclu par ses premiers habitants avec Nomar. En échange d'une partie de leur nourriture quotidienne, les Espéritiens pouvaient assurer leur survie dans cette contrée inhospitalière. Ainsi, les femmes prévoyaient des rations supplémentaires lorsqu'elles servaient les repas, car il en disparaissait toujours une partie.

Les Espéritiens étaient pour la plupart des fermiers qui élevaient les vaches, les moutons, les chèvres et les poules. Leurs habitations de brique ou de pierre coiffées de toits en chaume étaient confortables.

Des cavernes de glace délimitaient le vase clos d'Espérita. Un seul tunnel y était percé et il menait au souterrain des hybrides.

Une rivière irriguait les grands champs cultivés derrière la ville, près du tunnel. En les traversant, vers le nord, on trouvait sur la falaise de glace, un sentier qui grimpait vers la mer du nord. Kira créa éventuellement une rampe de la falaise ouest, qui descendait au Royaume d'Opale, là où était percé le tunnel menant au Royaume des Ombres. Au sommet de la falaise nord, dans la mer glaciale, vivent les Dragons des mers. Sage avait appris à communiquer avec ces créatures géantes et à les appeler en sifflant. Leur corps massif est recouvert d'un beau pelage blanc et lisse, leurs longues pattes de devant ressemblent aux nageoires des poissons. Les Dragons des mers n'ont pas de pattes arrière, seulement une longue queue plate qu'ils utilisent pour se propulser dans l'eau. Leur tête triangulaire, au bout de leur long cou, rappelle en tout point celle des dragons noirs, sauf que leurs grands yeux brillent d'une lumière azurée et paisible. De chaque côté de leur colonne vertébrale, deux grandes poches abritent leurs petits la nuit. Elles se referment instinctivement et protègent du froid. Une matriarche guide chaque troupeau de Dragons des mers.

HISTOIRE

Les mythes racontent qu'une race de gens étranges vit dans le Royaume des Esprits, tout comme dans le Royaume des Ombres. Ce serait les squelettes des âmes des damnés qui tenteraient de s'emparer des voyageurs pour voler leur peau.

Nous savons maintenant que l'univers souterrain du Royaume des Ombres a abrité des hybrides pendant des centaines d'années. Les habitants du Royaume des Esprits leur fournissaient des vivres contre le maintien des conditions climatiques instaurées par Nomar.

Onyx s'était aventuré vers le nord, à la fin de la guerre, suivi par bon nombre de femmes et d'hommes qui avaient tout perdu. Ils cherchaient un endroit tranquille pour vivre loin des épées et des lances, mais ils se sont retrouvés emprisonnés dans la glace par le faux Immortel. Avant d'aménager le sentier grimpant sur la falaise nord, les Espéritiens étaient vraiment isolés du reste du continent.

Voici ce qu'a raconté Sage au sujet d'Onyx, le fondateur d'Espérita : « Onyx en avait eu assez de tuer. Pour cette raison, il avait fondé une cité où personne ne possédait assez de pouvoir pour déclarer la guerre à qui que ce soit. Il a alors mis sa magie au service des blessés et des malades, mais il n'a jamais voulu enseigner son art aux autres, alors sa science s'est éteinte avec lui. Onyx était un homme silencieux, qui ne parlait jamais de son passé. Ni sa femme ni ses enfants ne le connaissaient vraiment. »

Nomar a abandonné les Espéritiens à leur sort après la destruction du Royaume des Ombres par le sorcier Asbeth. Le soleil a alors cessé de réchauffer Espérita et la neige s'est mise à tomber jusqu'à ce que les bêtes et les cultures périssent. Les habitants se sont réfugiés dans les grottes du Royaume des Ombres, mais les plus âgés n'ont pas survécu. Sans l'arrivée de Sage et de Kira, tous seraient morts. Ils ont ramené les survivants à Opale où le Roi Nathan leur a offert de faire partie de son peuple.

Voici ce que Onyx eut à dire au sujet de cet épisode de son passé : « Nomar m'a ordonné de bâtir une cité dans un endroit protégé de son choix, en me promettant que j'en serais le chef. Je lui ai dit que nous ne voulions plus conclure de marché avec les Immortels. Je l'ai sommé de partir. Alors, il s'est saisi de moi et m'a emmené à Irianeth pour me torturer jusqu'à ce que j'accepte de gouverner Espérita. J'ai fondé cette cité parce que je n'avais pas le choix. Ce n'était pas le sanctuaire que j'avais promis à ces pauvres gens terrifiés. C'était une prison de glace dont plus personne ne pouvait s'échapper. Je suis bien content que les Espéritiens aient pu enfin quitter cet enfer de servitude. »

Tempérament

Même s'ils ont maintenant quitté leur ville enclavée dans la glace, on peut dire des habitants du Royaume des Esprits, qu'ils étaient des gens ingénieux qui ont su survivre isolés du reste du monde. Ils conservent de mauvais souvenirs de la première invasion et se montrent donc infiniment prudents dans leurs relations avec les étrangers.

Valeurs

La plupart des habitants d'Espérita provenant d'Émeraude, ils avaient conservé les valeurs de leurs ancêtres, soit la politesse, la sincérité, la flexibilité, l'honnêteté et l'intégrité. Ils font preuve de beaucoup de gratitude envers les peuples qui les ont accueillis après la trahison de Nomar.

Vie de famille

Étant isolés du reste du monde, le noyau familial est devenu très important. Le père était le chef incontesté de la famille, Ses décisions étaient finales. Les enfants, n'ayant aucune façon d'échapper à la ville et à l'opinion publique, étaient obligés de se plier à sa volonté et à celle du Conseil des douze familles.

Loisirs

Les enfants se sont inventés des jeux, mais ils ne pouvaient jouer que lorsqu'ils avaient accompli leurs tâches. Quant aux adultes, ils ont rarement pris le temps de se distraire, vivant sous la menace constante de la colère de Nomar.

Nourriture

Les Espéritiens mangeaient ce qu'ils faisaient pousser dans le sol magiquement réchauffé par Nomar. Ils avaient aussi des poules, des cochons, des vaches et des chevaux qu'ils ne mangeaient qu'en cas de nécessité. Ils avaient appris d'Onyx à faire de la bière, mais ne furent jamais capables de faire pousser de la vigne pour faire du vin.

Éducation

Il n'y a jamais eu ni livres, ni professeur pour enseigner quoi que ce soit aux enfants. Ils allaient plutôt à l'école de la vie et apprenaient très tôt leur métier auprès de leur père ou de leur mère. Onyx lui-même ne voulut jamais enseigner sa magie à ses descendants pour leur éviter de devenir une cible de Nomar.

Coutumes et traditions

Les Espéritiens se croyaient à l'abri de l'agression dans leur monde de glace. Après la mort d'Onyx qui s'y opposait, tous les ans, ils tinrent une grande fête pour remercier les dieux de les protéger des horreurs de la guerre. Le jour de leurs dix-sept ans, les garçons étaient officiellement reconnus par le Conseil des douze familles comme de futurs porte-parole de leur famille.

Gouvernement et lois

Onyx avait décidé d'instaurer un régime démocratique plutôt qu'une monarchie. Le peuple était donc géré par le Conseil des douze familles qui réglait les disputes, qui décidait de la quantité de nourriture à obtenir chaque année et qui mariaient les jeunes gens. Il se réunissait dans un grand bâtiment circulaire, divisé en douze sections, où prenaient place les représentants des familles fondatrices de la cité. Au centre, se trouvait un espace vide, réservé à ceux qui souhaitaient s'adresser au Conseil.

Commerce

Étant coupé du reste d'Enkidiev, les Espéritiens ne faisaient évidemment pas de commerce.

Informations importantes sur le royaume des Esprits

Gouvernants : Conseil des douze familles.

Couleurs : aucune.

Blason : aucun.

Dieu ou déesse : aucun.

Chevaliers originaires de ce royaume : Sage.

Fal
N

LE ROYAUME DE FAL

GÉOGRAPHIE

Situé en bordure du Désert, au sud d'Enkidiev, le Royaume de Fal est perché sur la falaise qui surplombe ses immenses étendues de sable. Les arbres de ce pays ont le tronc dénudé jusqu'à leur cime et sont coiffés d'une touffe de larges feuilles vertes. Ce sont des palmiers, qui produisent toutes sortes de fruits comestibles.

Le sol du Royaume de Fal est sablonneux et il abrite de minuscules prédateurs, tels des lézards, des scorpions et des araignées. On y retrouve également des oasis avec des étangs aux eaux paisibles.

La forteresse de Fal abrite tous les habitants du royaume. C'est une immense ville fortifiée qui s'étend sur des kilomètres sur la falaise qui la sépare du Désert. Imprenable sur son flanc sud, ses murs vertigineux et polis comme des pierres précieuses rendent toutes ascension impossible. L'intérieur de la forteresse est éclairé par des torches la nuit. Deux portes massives bloquent l'accès du château aux étrangers du côté ouest.

Le palais est décoré de tableaux et de tapisseries aux couleurs chatoyantes. C'est un dédale de longs couloirs lumineux. La salle à manger et la salle d'audience peuvent accueillir un millier de personnes. Une aile est réservée aux invités de marque et ses chambres sont richement décorées de soieries.

Un grand bassin sous le palais est rempli d'eau provenant d'une source souterraine réchauffée par la chaleur d'une faille volcanique.

HISTOIRE

À l'origine, le Royaume de Cristal s'étendait jusqu'à la Montagne de Cristal. Il fut fractionné en quatre parties qui devinrent les Royaumes de Zénor, de Fal, d'Argent et de Cristal, dotant tous les jeunes princes de leur propre territoire. Zénor et Fal étaient les noms de deux de ces princes.

TEMPÉRAMENT

La seule chose qui importe aux Falois, c'est le plaisir. Ils sont capables de dépenser beaucoup d'énergie pour faire des choses qu'ils aiment. Les Falois sont spontanés et imprévisibles. Ils ne tolèrent pas la critique, mais n'hésitent pas à pointer aux autres leurs fautes. Ils ne sont pas ambitieux et rien ne les impressionne. Ils aiment leur liberté et ils ne se soucient guère du temps. Les Falois sont extravertis. Ils aiment les gens et les grandes fêtes qui s'éternisent. Ils ne sont jamais pressés et ils ne pressent personne.

Valeurs

Les Falois aiment posséder une grande maison pour leur satisfaction personnelle et non par fierté. Ils savent que le bonheur ne se trouve pas dans les possessions matérielles, mais à l'intérieur d'eux-mêmes.

Vie de famille

Il est important pour les Falois que tous les membres de la famille soient heureux. Alors, lorsqu'ils prennent une décision, ils s'assurent qu'elle ne lésera pas un des leurs. Leur famille et leur maison sont plus importantes à leurs yeux que l'argent. Les mères sont très possessives et c'est avec beaucoup de difficulté qu'elles laissent partir leurs enfants de la maison. Les parents n'imposent aucune discipline à leurs enfants et les traitent comme leur plus grand trésor.

Loisirs

Les Falois sont des passionnés d'art et de musique. Plusieurs d'entre eux sont des peintres, des sculpteurs, des musiciens, des poètes et de fantastiques danseurs.

Nourriture

Les Falois aiment manger du poisson frit, du poulet et du porc grillé, des piments et des pommes de terre frites sans aucune sauce. Ils commencent tous leurs repas par du pain frais qu'ils trempent dans de l'huile d'olive.

Éducation

Les enfants vont à l'école quand ils sont très jeunes, puis ils deviennent apprentis auprès d'un maître exerçant le métier que leurs parents ont choisi pour eux. Mais la véritable éducation se fait à la maison, là où ils apprennent les coutumes et l'histoire de leur peuple.

Coutumes et traditions

Les Falois font la sieste dans l'après-midi et vont marcher dans les rues étroites de leur cité fortifiée au début de la soirée où ils ont la chance de bavarder avec tout le monde avant d'aller prendre le dernier repas de la journée.

Gouvernement et lois

Le Roi de Fal est l'autorité suprême du pays, mais la reine exerce parfois sur lui une plus grande influence que ses conseillers. De toute façon, il y a très peu de disputes à trancher, car elles se règlent d'abord et avant tout en famille.

Le Roi Patsko de Fal est le frère aîné du Chevalier Santo. Il a les yeux et les cheveux noirs. Grand et mince, il est juste et bon. Le Roi Patsko a épousé la Princesse Christa, la sœur du légendaire Chevalier Wellan.

La Reine Christa, soeur aînée de feu Sire Wellan, a les cheveux couleur des blés et les yeux bleus. Belle et sage, elle est aussi simple et honnête. Elle sait faire preuve de grâce et de retenue.

Le couple a deux fils, les Princes Solorius et Karl, qui ressemblent en tous points à leur père. Le père de Patsko, le Roi Levin, époux de la Reine Affé, était un homme impressionnant, portant des vêtements de satin colorés et un turban doré où étincelait le plus gros saphir du continent. Son fils Patsko est beaucoup plus modeste que lui.

COMMERCE

Les Falois exportent surtout leur vin unique à cette région chaude ainsi que leurs olives et leur huile d'olive. Ils vendent aussi de magnifiques tissus légers aux couleurs vives et de moelleux tapis tissés à la main.

INFORMATIONS IMPORTANTES SUR LE ROYAUME DE FAL

Gouvernants : le Roi Patsko et la Reine Christa.

Couleurs : rouge et orange.

Blason : un palmier rouge sur fond orangé.

Dieu ou déesse : Assequir, déesse du plaisir.

Chevaliers originaires de ce royaume : Ada, Allado, Amax, Carlo, Chariff, Corbin, Daiklan, Esko, Horacio, Julia, Lavann, Lornan, Madul, Mercass, Orlando, Santo, Sora et Zoran.

Fées

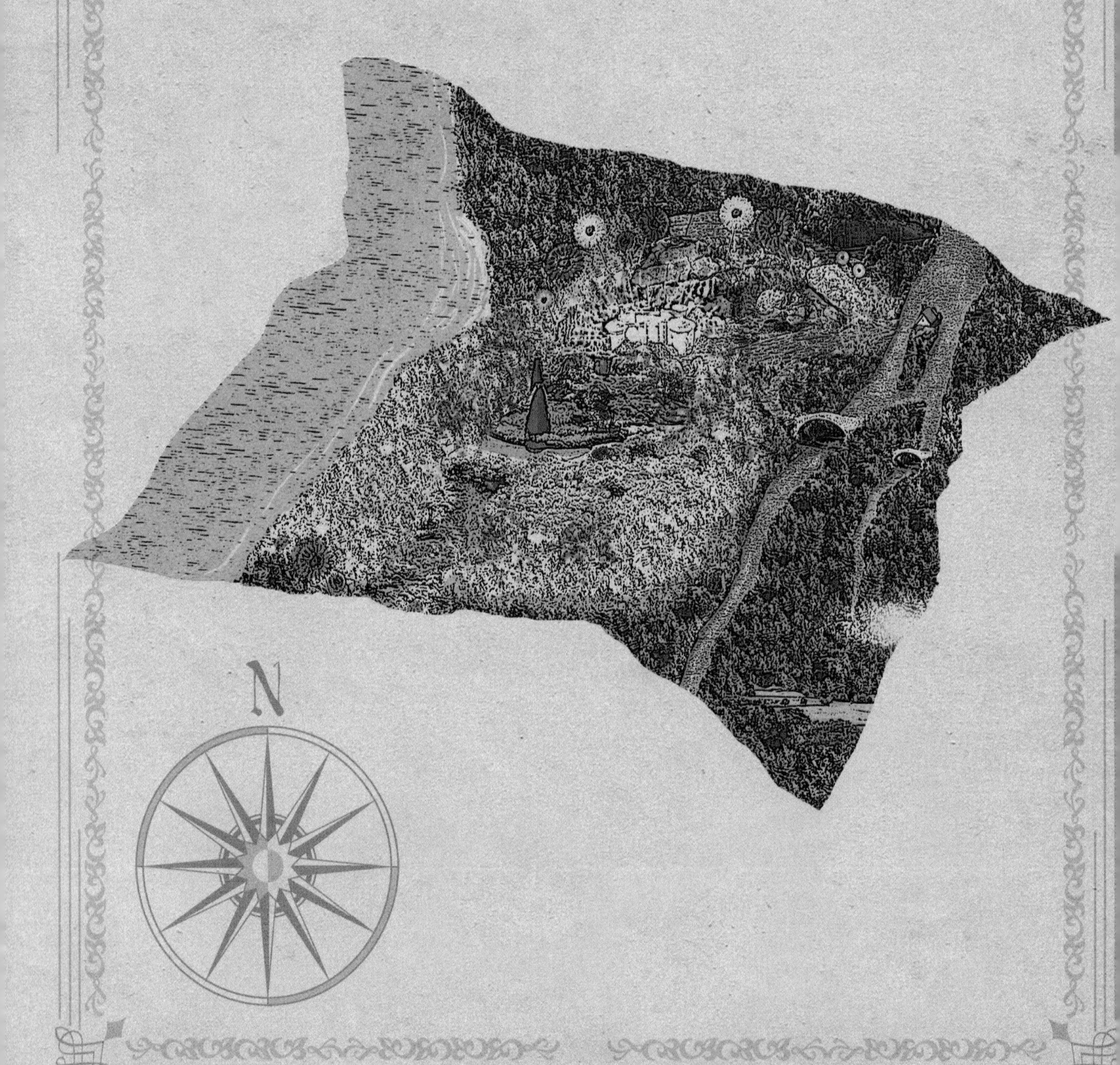

Le Royaume des Fées

Géographie

Le Royaume des Fées est protégé du côté ouest par de gros rochers qui fusent des galets comme des stalagmites géantes. Il est bordé au nord par le Royaume des Elfes et au sud par le Royaume d'Argent. Dans ce royaume, la rivière Mardall est très large.

Les champs sont parsemés de fleurs géantes, de champignons immenses et de brins d'herbe de la taille d'une épée. La flore est gigantesque et vivement colorée. Il y a une grande forêt d'arbres dont les troncs sont en cristal et à travers desquels on peut voir circuler la sève. Dans cette forêt, un sentier de sable blanc serpente jusqu'à la vallée où le roi cache son château de verre.

La descente vers le vallon sur une colline d'herbe bleue est très douce. On y voit des hérons, des roseaux et des oiseaux aux couleurs éclatantes.

Des poissons multicolores et des grenouilles lumineuses foisonnent dans le ruisseau aux eaux turquoise de la vallée. Au fond de l'eau, on peut voir des algues roses et violettes. Un pont enjambe le ruisseau.

Le palais des Fées est invisible aux yeux des humains. Il est transparent et ses murs sont faits de verre. Le hall du roi a des dimensions démesurées. C'est là que Tilly a son trône. Des lustres pendent du plafond et des marches de quartz transparent mènent jusqu'au trône. Ses murs filtrent la lumière du jour et la réfléchissent en un kaléidoscope de couleurs. L'immense salle à manger est inondée de soleil toute la journée. Elle est presque entièrement occupée par une longue table à l'intérieur de laquelle courent des arcs-en-ciel. Cette table flotte dans les airs et se déplace toute seule de pièce en pièce. Les chaises ne touchent pas le sol et elles sont recouvertes de volumineux coussins bleus.

Les chambres sont petites. Elles ne contiennent qu'un nid en forme de coupole dans laquelle reposent des couvertures soyeuses. Une brise parfumée souffle dans la pièce et le plafond transparent permet de voir les étoiles. La lumière s'amenuise d'elle-même lorsque les Fées s'endorment. Les portes s'ouvrent d'elles-mêmes lorsqu'on tend la main vers la poignée de bronze.

Les Fées se nettoient dans une salle privée occupée par une vasque lumineuse au-dessus de laquelle flotte un nuage bleuté. Une pluie drue et chaude les assaillit. Elle est d'abord savonneuse, puis devient claire. De grosses libellules attendent patiemment que les Fées terminent leur toilette pour les envelopper dans un drap de bain. Une fois séchées, les Fées revêtent des voiles propres.

La grande cour intérieure du palais est couverte de petits cailloux arrondis. Sur les quatre murs qui la délimitent, courent de longues galeries décorées de fleurs scintillantes.

Histoire

À l'origine, il n'y avait que trois royaumes sur Enkidiev : le Royaume de Cristal, le Royaume de Rubis et le Royaume des Fées. Il n'y avait que trois grandes familles royales qui s'étaient divisé tout le territoire en régions plus ou moins égales. Les Fées perdirent beaucoup de territoire lors de l'arrivée des Elfes qui s'établirent dans leurs forêts les plus denses et en raison d'une alliance qu'elles contractèrent avec le Royaume de Rubis.

Lors de la première invasion, le Roi des Fées avait refermé l'accès à son territoire du côté de la mer en déplaçant les récifs. Lors de la deuxième invasion, le Roi Tilly utilisa sa magie et anima les fleurs, les champignons, les algues et les roseaux afin qu'ils attaquent les imagos.

Tempérament

Les Fées ne vivent que pour s'amuser et créer de nouvelles fleurs et des animaux plus exotiques les uns que les autres. Elles ne se préoccupent guère des autres habitants du continent se disant que si elles les laissent tranquilles, ils en feront autant. Elles aiment rire, chanter, se poursuivre en volant entre les arbres et dormir dans des nids ressemblant à ceux des oiseaux.

Valeurs

Bien qu'insouciantes, les Fées sont loyales et fidèles entre elles. Elles ne mentent jamais, mais adorent les devinettes.

Vie de famille

Les Fées élèvent leurs enfants dans la plus grande liberté. Ce sont les pères qui portent les enfants. Lorsque le fœtus est parvenu à la grosseur d'un chaton, le roi lui-même l'extrait du corps du père par son nombril et le remet à la mère. Les deux parents doivent alors nourrir le minuscule bébé à toutes les deux heures avec le nectar d'une fleur qui ne s'ouvre que la nuit. Lorsque les bébés ont franchi l'étape critique des six premiers mois, ils ouvrent leurs yeux et se mettent à croître et à réagir comme un bébé humain.

Les pères Fées ne peuvent quitter les frontières du royaume, car ils mourraient en peu de temps.

Loisirs

Les Fées sont passées maîtres dans l'invention de nouvelles façons de s'amuser. Elles consacrent presque toutes leurs journées à leurs loisirs, mais ne sortent jamais la nuit. Elles reviennent alors au château où elles dorment dans des nids douillets.

Nourriture

Même si elles ont le pouvoir de faire apparaître toutes sortes de mets différents à leurs invités, les Fées se nourrissent presque exclusivement de fruits et elles ne boivent que l'eau de leurs ruisseaux.

Éducation

C'est la reine qui procure aux petites Fées le seul enseignement qu'elles recevront durant leur vie. Sous sa tutelle, elles apprennent à chanter, à jouer d'un instrument de musique, à parler aux plantes et à soigner les arbres. Les Fées utilisent un langage surtout télépathique, mais lorsqu'elles se servent de leur voix entre elles, ce langage ressemble à un chant d'oiseau. Elles connaissent aussi les autres langues parlées sur le continent et sont capables de les utiliser.

Coutumes et traditions

Habillées d'innombrables voiles diaphanes de toutes les couleurs, les Fées ont des ailes transparentes comme celles des libellules. Pour les humains, elles se ressemblent toutes avec leur beau visage de poupée et leurs longues robes.

Les Fées aiment rester en suspension dans l'air par pur plaisir. Leur essence ne peut être captée par les autres créatures. Les sortilèges n'ont aucun effet sur ces êtres gracieux et indépendants. Les mâles préfèrent demeurer invisibles. Seul le Roi Tilly ne craint pas de se manifester aux humains. Timides, les Fées mâles quittent rarement le palais de verre. La plupart passent leur journée à s'occuper de leurs bébés. Les autres conseillent leur souverain dans les affaires quotidiennes du royaume.

Malgré leur apparence relativement semblable à celle des humains, les Fées ne possèdent pas la même densité. Grâce à leur légèreté, elles peuvent disparaître ou s'envoler, à condition toutefois qu'on ne leur coupe pas les ailes. Ces ailes apparaissent vers l'âge de onze ans. Quatre d'entre elles fendent la peau entre les omoplates de la Fée adolescente, lui causant une grande douleur. Couvertes de gelée blanche, elles doivent être lavées et séchées par les heureux parents. Les deux Fées qui sont devenues des Chevaliers ont malheureusement dû faire enlever leurs ailes à cet âge afin de poursuivre leur rôle dans l'Ordre.

Les Fées azurées sont rares et surtout très timides, car elles possèdent une si grande sensibilité qu'elle pourrait causer leur mort. Selon les légendes racontées par les Elfes, les Fées azurées ne naissent qu'à tous les trois cents ans, environ, de parents Fées pourtant tout à fait normaux. En raison de leur extrême réceptivité, elles préfèrent vivre seules, loin de leurs semblables. On dit qu'elles excellent dans la composition de remèdes efficaces contre tous les maux qui peuvent servir autant aux Elfes qu'aux humains, et que leur voix peut charmer les serpents. Ces créatures à la peau bleue possèdent d'immenses pouvoirs de guérison et une grande puissance magique.

Les Fées peuvent aussi mourir. Lorsque l'une d'elles perd la vie, on installe son corps sur une plume géante dans la salle des regrettés du château afin que toutes puissent lui rendre un dernier hommage. Kardey fut le seul humain à qui cet honneur aurait été rendu s'il avait réellement perdu la vie, mais il fut ressuscité par le Roi Tilly. La salle des regrettés est un endroit étrange, situé entre deux mondes où les corps des défunts flottent dans le vide jusqu'à ce que leur famille soit prête à les laisser s'élever vers les astres.

Gouvernement et lois

Le pouvoir est divisé en deux dans cette société. C'est le roi qui traite avec les étrangers et avec les autres dirigeants d'Enkidiev, tandis que la reine règle surtout les problèmes domestiques. Son rôle est de veiller au bonheur de son peuple.

Le Conseil des Fées vient en aide au roi lorsque de graves décisions doivent être prises. Il se tient en général dans le grand hall du palais et c'est l'un des rares endroits où les hommes Fées se rendent visibles.

Le Roi Tilly est un bel homme ailé. Ses cheveux argentés sont presque transparents et touchent ses épaules. Ses yeux sont dorés. Grand, svelte et délicat, ses longs membres semblent aussi fragiles que du verre. Sa voix est douce comme la brise.

La Reine Calva a un visage de porcelaine et de longs cheveux blonds. Elle enseigne aux petites Fées la musique, les chants célestes et la magie. On croit à tort que, chez les Fées, c'est le roi qui possède les plus grands pouvoirs.

Calva a eu deux filles avec l'Immortel Danalieth, soit Ariane et Dinath, mais aucun enfant avec le Roi Tilly.

Commerce

Les Fées protègent jalousement leur royaume des intrus en les faisant tourner en rond ou en leur bloquant tout simplement l'accès à leurs belles forêts enchantées.

Informations importantes sur le royaume des Fées

Gouvernants : le Roi Tilly et la Reine Calva.

Couleurs : le doré et le blanc.

Blason : deux étoiles dorées séparées par deux lignes bleues représentant un cours d'eau sur fond blanc.

Dieu ou déesse : Estola, déesse du bonheur.

Chevaliers originaires de ce royaume : Ariane et Maïwen.

Jade

N

Le royaume de Jade

Géographie

Le Royaume de Jade se situe à l'extrême est d'Enkidiev, entre les Royaumes de Rubis et de Béryl. Il est surtout composé de grands champs où les Jadois cultivent le riz, le bambou et les vers à soie. Là où les rivières Sérida et Amimilt traversent son territoire, on retrouve une jungle luxuriante où vivent des animaux uniques, comme les petits singes, les sarigues et la panthère noire.

Les forêts de ce royaume sont vraiment uniques. Non seulement la faune, mais la flore aussi diffère de partout ailleurs.

Quelques familles habitent le long des rivières, mais la majorité des Jadois habitent des villages non loin du palais du roi, d'où ils partent pour aller travailler dans les champs.

Le palais est un immeuble bâti en hauteur. Ses multiples toits en pagodes sont piqués de petites lumières qui scintillent la nuit.

Le Château de Jade s'élève au-delà de la forêt, presque au milieu des immenses champs de riz. Ses étranges tours se composent de plusieurs parties superposées, ayant chacune son propre toit en pagode. Le palais est l'édifice le plus imposant du château. De gros pots de faïence aux couleurs chatoyantes ornent tous ses corridors. Il y pousse des fleurs et des plantes uniques au monde. Sur les murs, de délicates aquarelles relatent la vie de tous les souverains de Jade.

De larges portes rouges décorées de symboles anciens gardent la salle du trône. Cette salle est rectangulaire et très profonde. Sur le plancher de marbre noir repose une moquette rouge sur laquelle sont tissés deux oiseaux dorés aux ailes enflammées. De magnifiques lanternes pendent du plafond.

La forteresse est gardée par des soldats vêtus de simples tuniques blanches et armés d'un sabre pendant à leur ceinture. En temps de guerre, les gardes revêtent une armure de cuir tressé.

Histoire

Le Royaume de Jade fut créé lorsque le Royaume de Rubis fut partagé en cinq parties qui devinrent les Royaumes de Turquoise, de Béryl, de Jade, d'Opale et de Rubis.

Tempérament

Les Jadois sont des gens paisibles qui prennent le temps de réfléchir avant de répondre à une question. Malgré leur sobre apparence, ils sont très fiers. Ils n'ont pas peur du travail et sont fiables. Ils sont capables de deviner les pensées des autres, alors ils demandent rarement leur opinion. Ceci peut parfois causer des malentendus. Cependant, ils n'aiment pas les querelles et feront tout en leur possible pour les éviter.

Valeurs

Les Jadois sont soucieux du bien-être des leurs et de celui des étrangers. Ils pardonnent facilement les erreurs, à la condition que la personne qui les a offensés s'excuse de la bonne façon. Les Jadois aiment ce qui est éphémère. Leurs goûts changent avec les saisons. Ils savent que la vie est temporaire et ils en suivent le courant. Ils sont doux, tendres et attentionnés. Ils sont aussi obsédés par la propreté.

Vie de famille

La vie de famille est très importante pour les Jadois. C'est dans la famille que les enfants apprennent à respecter les traditions. C'est surtout l'homme qui travaille, tandis que sa femme s'occupe des finances, des enfants et de la maison. Une fois que les enfants ont quitté le nid, il n'est pas rare de voir les femmes se joindre à leurs maris aux champs. Leurs enfants sont leur plus grand trésor et ils les couvent jusqu'à ce qu'ils quittent la maison.

Loisirs

Les Jadois raffolent des énigmes. Ils peuvent passer des soirées entières à tenter de les solutionner en famille et même lors de soupers avec des amis. Ils pratiquent tous la méditation et apprennent à manier un long bâton afin de se défendre contre les bêtes sauvages.

Nourriture

Les Jadois ne sont pas de gros mangeurs. Ils se contentent de peu. Ils aiment le riz préparé de plusieurs façons, le poisson de rivière, certaines racines et tous les légumes qu'ils peuvent cultiver. Ils fabriquent un vin très particulier qui a la réputation d'enivrer même les plus grands buveurs.

Éducation

L'école commence à la maison, puis, lorsqu'ils sont plus vieux, les enfants peuvent étudier au palais où le roi leur fournit des maîtres dans tous les domaines. Cependant, plusieurs enfants préfèrent demeurer avec leurs parents et apprendre le métier qui se pratique dans leur famille depuis des générations.

Coutumes et traditions

Ils penchent la tête pour se saluer. Leurs dieux sont très importants et ils cessent toute activité pour les vénérer les jours consacrés au culte. Ils aiment aussi donner des cadeaux à leurs invités.

Il est interdit de domestiquer les oiseaux exotiques ou les coquins petits singes dorés qui abondent dans ce royaume. Le Roi de Jade autorise uniquement la possession de chevaux, de bœufs, de vaches, de porcs et de poulets.

Gouvernement et lois

Le Roi de Jade est la seule autorité de tout le pays. Il règle les conflits avec impartialité après avoir entendu tous les arguments et toujours en fonction du bien commun. Mais la plupart du temps, les Jadois préfèrent régler leurs comptes entre eux et n'ont pas recours à leur souverain.

Le Roi Lang de Jade est un homme vigoureux. Ses cheveux noirs sont tressés sur sa nuque et ses yeux sont bridés. Au palais, il porte un long vêtement de soie noire. Des oiseaux aux ailes enflammées sont reproduits en rouge sur ses vastes manches.

La Reine Natta est une femme effacée qui entretient les relations à la cour pour son mari.

Leurs fils Aleck et Zabros sont les commandants de l'armée de Jade. Le plus jeune semble démontrer un potentiel magique, mais il n'a jamais été encouragé à le développer.

Le Roi Lang eut une courte relation avec Takara, une femme de l'entourage de la reine. Takara a donné naissance à une fille, Shenyann, que le roi ne retrouva que des années plus tard.

Avant de connaître sa véritable identité, la Princesse Shenyann habitait une petite hutte avec ses grands-parents, sur la rive ouest de la rivière Sérida. Sa mère avait perdu la vie en lui donnant naissance. Pour la protéger, son grand-père lui avait raconté que son père, un soldat du roi, était mort frappé par la foudre en tentant de rentrer chez lui au plus vite. Shenyann est douce et obéissante. Son destin changea lorsqu'elle aida Dylan à secourir Dinath dans la forêt, alors que le dieu déchu Akuretari tentait d'assassiner cette dernière.

Commerce

Les Jadois exportent leurs soieries, leur vin et leur riz surtout en échange de meubles de bois, car ils n'abattent jamais d'arbres.

Informations importantes sur le royaume de Jade

Gouvernants : le Roi Lang et la Reine Natta.

Couleurs : rouge et noir.

Blason : deux oiseaux de feu sur fond noir.

Dieu ou déesse : Shushe, la déesse des énigmes.

Chevaliers originaires de ce royaume : Atall, Bansal, Brannock, Célan, Colville, Dianjin, Dillawn, Honsu, Jaake, Jinann, Keiko, Kerns, Lianan, Murray, Myung, Osan, Qilliang, Sagwee, Shangwi, Shizuo, Shuhei, Théa et Winks.

Ombres

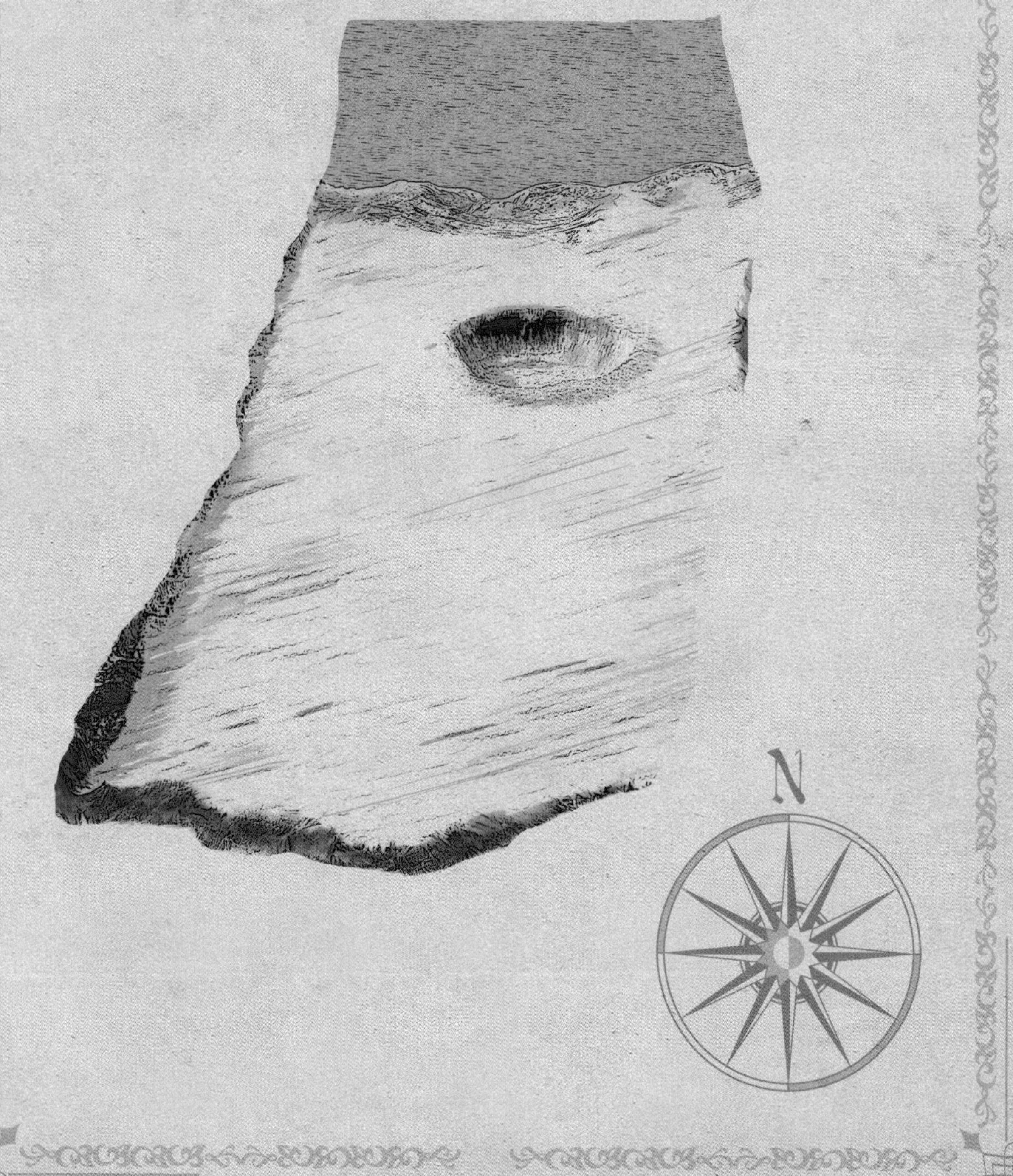

LE ROYAUME DES OMBRES

GÉOGRAPHIE

Le Royaume des Ombres (ou Alombria) est une terre volcanique emprisonnée sous une épaisse couche de glace, à la surface de laquelle rien ne peut survivre. Une dépression apparaît maintenant là où l'énorme caverne fut détruite par le sorcier Asbeth, tuant tous ses habitants, sauf Jahonne.

Cette caverne était le refuge des hybrides conçus par Amecareth et recueillis par Nomar qui disait les soustraire ainsi aux sombres desseins de leur père. En réalité, il était à la recherche de Kira. Des mages Sholiens habitaient avec les hybrides et prenaient soin d'eux.

Ce monde souterrain comprenait une multitude de petites grottes circulaires réparties sur des centaines de corniches creusées dans les murs de la caverne. Ces alvéoles étaient meublées de couchettes recouvertes de fourrures. Des échelles de bois donnaient accès aux différents étages. Une rivière d'eau tiède coulait en silence au milieu de la grotte dont le sol était mou et chaud. Il n'y avait ni animaux, ni jardins ou terres cultivées. Plusieurs petits feux brillaient le long de la rivière. Le plafond de cette caverne ressemblait au ciel, la nuit, mais sans étoiles. Le seul éclairage de cet étrange univers provenait des pierres rondes qui jonchaient le sol et des feux de camp.

HISTOIRE

Nomar créa cet endroit mille ans auparavant, mais les enfants hybrides y sont arrivés à toutes les époques. Deux empereurs avaient donc engendré ces créatures.

Désormais, plus personne n'habite ce pays inhospitalier.

TEMPÉRAMENT

Ce royaume n'a été habité que par des hybrides conçus par l'Empereur Amecareth avec des femmes d'Enkidiev. N'ayant jamais eu de véritables contacts avec le monde extérieur, ces créatures étaient surtout timides et ne manifestaient aucune agressivité les unes envers les autres.

VALEURS

Les Sholiens qui s'occupaient des hybrides ne leur ont pas transmis de valeurs.

VIE DE FAMILLE

En réalité, ces hybrides étaient tous frères et sœurs et ils n'avaient pas la possibilité de se reproduire entre eux. Ils vivaient dans une vaste caverne, mais possédaient tous une alvéole personnelle dans leur monde souterrain. Quatre hybrides ressemblaient à Kira, en plus de Jahonne. Les autres étaient un bizarre mélange de deux races complètement opposées. Certains avaient des griffes recourbées, quatre doigts, des bras recouverts d'une carapace noire luisante ou la moitié du visage humain. Ceux qui avaient des mandibules utilisaient un langage composé de sifflements et cliquetis. Ceux qui étaient plus humains utilisaient la langue des hommes.

Loisirs

Les Sholiens ne les ont jamais encouragés à en avoir.

Nourriture

Ils mangeaient ce que Nomar prenait magiquement aux Espéritiens.

Éducation

Ils n'en recevaient aucune et ne connaissaient rien du monde extérieur.

Coutumes et traditions

Ils n'en avaient pas.

Gouvernement et lois

Nomar était la seule autorité dans ce sombre royaume. Il avait droit de vie et de mort sur tous les hybrides.

Commerce

Ils n'en ont jamais fait.

Informations importantes sur le royaume des ombres

Gouvernants : Nomar.

Couleurs : aucune.

Blason : aucun.

Dieu ou déesse : aucun.

Chevaliers originaires de ce royaume : aucun.

Opale

LE ROYAUME D'OPALE

GÉOGRAPHIE

La rivière Sérida traverse le Royaume d'Opale en son centre. C'est un pays boisé, constamment balayé par un vent frais. Le gibier y abonde, et ce royaume partage un vaste terrain de chasse avec celui de Rubis.

Au sud-ouest se trouve la frontière du Royaume de Diamant. Encore plus à l'ouest, se trouve celle des Elfes. Au nord s'élèvent les falaises du Royaume des Ombres et du Royaume des Esprits.

La forteresse d'Opale se situe au-delà d'une épaisse forêt de conifères. Elle est toute blanche et d'un style plus simple que celle d'Émeraude. Ses hautes murailles de pierre s'étendent sur des kilomètres, et seule sa façade principale n'est pas protégée par la sylve. Tous les paysans vivent à l'intérieur de la forteresse.

Le palais de pierre est de couleur sable et orné de balcons sur sa façade. Des fanions noirs brodés d'animaux argentés décorent les balustrades.

HISTOIRE

Le Royaume d'Opale fut créé lorsque le Royaume de Rubis fut partagé en cinq parties qui devinrent les Royaumes de Turquoise, de Béryl, de Jade, d'Opale et de Rubis.

La situation géographique du Royaume d'Opale le mit à l'abri lors de la première invasion et les dragons ne sont jamais parvenus jusqu'à ses frontières, ayant été arrêtés au sud par les Chevaliers d'Émeraude. Cependant, il ne fut pas épargné lors de la deuxième invasion, lorsque des rats géants attaquèrent ses ressortissants.

Les soldats d'Opale portent des cuirasses métalliques ornées d'un aigle aux ailes ouvertes, sur des tuniques et des chausses noires. Ils sont armés jusqu'aux dents et montent de fiers destriers. Ils sont des durs à cuire et ont peu de notions de respect ou de civilité.

Dans sa grande bonté, le Roi Nathan accueillit les Espéritiens survivants de l'abandon de Nomar et leur offrit de s'installer sur ses terres.

Tempérament

Les Opaliens sont fiers d'être Opaliens et ils considèrent que leur royaume est le meilleur de tous. Ils sont individualistes et ils aiment gagner. Ils sont extrêmement satisfaits de leurs réussites et tiennent à les proclamer au monde entier. Obsédés par leur image publique, ils veulent bien paraître en tout temps.

Valeurs

Les Opaliens sont très attachés à leurs biens et ils définissent les classes sociales selon l'importance du patrimoine qu'ils détiennent. Ils sont également très possessifs, alors il est très dangereux pour un visiteur de contempler trop longtemps le visage de la femme ou de la fille d'un Opalien. C'est un pays où les hommes dominent et où les femmes doivent constamment prouver leur valeur.

Vie de famille

Les Opaliens se marient pour la vie et les mariages sont souvent décidés à l'avance par les parents. Le père fournit le gîte et la nourriture et il a le droit de se faire entendre au palais. La mère reste à la maison pour l'entretenir et s'occuper des enfants. Ce qu'elle pense importe peu. Les Opaliennes sont des femmes soumises à leur mari et à leur roi. Les enfants apprennent très vite qui est le chef de la famille. On ne cherche pas à connaître leur opinion avant qu'ils n'atteignent la puberté. C'est à cet âge qu'on se met à vénérer les fils et à préparer les filles pour un mariage profitable.

Les Opaliens vivent tous à l'intérieur de la grande forteresse dans de petites maisons entourées de jardins. Une allée de peupliers mène jusqu'au palais couleur des sables.

Loisirs

Aucun autre royaume n'accorde plus d'importance à ses loisirs que le Royaume d'Opale. Tous les hommes, peu importe leur rang dans la société, s'accordent du temps pour aller à la chasse ou à la pêche, entre hommes, évidemment.

Pour les femmes, les loisirs sont hors de question, car la famille et la maison requièrent des soins constants.

Nourriture

Les Opaliens mangent n'importe quoi, mais ils préfèrent le gibier à la viande domestique. Pour eux, la nourriture est un prétexte pour se rassembler entre hommes et échanger des opinions sur absolument tout. Les femmes mangent avec leurs enfants en faisant bien attention à la qualité de leur nourriture.

Les premiers rois du pays, ayant remarqué que les hommes passaient très peu de temps avec leur famille, votèrent une loi les obligeant à manger à la maison au moins deux fois par mois.

Éducation

Ce sont les mères qui enseignent à leurs enfants à lire et à écrire, qu'ils soient garçons ou filles.

Les filles s'appliquent davantage à leurs leçons, car elles savent qu'elles n'auront pas un rôle dynamique dans leur société et qu'elles seront appelées elles aussi, à l'âge adulte, à donner les mêmes leçons à leurs propres enfants.

Coutumes et traditions

Chaque partie de chasse fructueuse est un prétexte pour une grande fête donnée par la famille du chasseur.

Gouvernement et lois

Le Roi d'Opale a le pouvoir de prendre seul toutes les décisions et de voter toutes les lois. En réalité, il discute de chaque affaire avec ses conseillers et même avec le capitaine de son armée qui, à son avis, a un bon jugement. Les décrets du roi sont irrévocables.

Le Roi Nathan d'Opale, fils du défunt Roi Olum, a hérité du trône peu après le début de la deuxième invasion des hommes-insectes. Malgré son jeune âge, il n'était pas très ouvert au progrès. Il a les cheveux noirs et des yeux gris comme l'acier. Son regard est incisif.

La Reine Ardère, avant d'épouser Nathan, était Princesse de Jade et sœur du Roi Lang. Elle avait alors été promise au Prince Wellan de Rubis et fut fort déçue d'apprendre qu'il désirait plutôt devenir Chevalier. Ardère a de longs cheveux noirs et des yeux sombres en amande.

Le Roi Nathan et la Reine Ardère sont les parents du Prince Humey et de la Reine Swan d'Émeraude.

Le Prince Humey est un beau jeune homme dont les longs cheveux noirs brillent comme de la soie. Ses yeux sombres sont bridés comme ceux de sa mère. Il a épousé la Princesse Bela de Diamant.

Commerce

Le climat plus frais d'Opale ne permettant pas de faire pousser de la vigne, ce royaume importe beaucoup de vin du sud. De son côté, il exporte de la bière et des armes de grande qualité.

Informations importantes sur le royaume d'Opale

Gouvernants : le Roi Nathan et la Reine Ardère.

Couleurs : noir et argent.

Blason : aigle argenté aux ailes déployées sur fond noir.

Dieu ou déesse : Capéré, dieu de la chasse.

Chevaliers originaires de ce royaume : Atalée, Bélonn, Dansen, Donatey, Drewry, Edessa, Fabrice, Izzly, Linney, Otylo, Sherman, Stone, Swan, Syrian, Waxim, Xion et Yann.

Perle

Le Royaume de Perle

Géographie

Le Royaume de Perle est situé sur un plateau plus élevé que les forêts de Turquoise. Il est couvert d'immenses plaines où paissent des chevaux sauvages. Ses forêts, à l'est, sont cependant très denses. La rivière Dillmun qui le traverse est bordée de saules pleureurs. À l'ouest, de nombreuses rivières séparent le Royaume de Perle du Royaume de Cristal.

La forteresse de Perle est une construction massive et très ancienne. Ce n'est pas un monument destiné à attester de la puissance de son monarque, mais plutôt une installation militaire toute en hauteur, facile à défendre sur ses quatre faces. Des douves profondes ont été creusées au pied des murailles. On ne peut y accéder que par un pont-levis.

L'intérieur de la forteresse est aussi austère que l'extérieur. La grande cour anciennement recouverte de sable est désormais pavée de petites pierres plates. La façade de tous les bâtiments est lisse pour éviter toute escalade jusqu'aux hautes fenêtres. Les chevaux sont abrités sous un chapiteau, près du puits et de l'écurie.

Le décor du palais est sobre. Il ressemble davantage à un repaire de chasse qu'à la demeure d'un roi. Dans le grand hall, on trouve un âtre géant, près du trône de Giller. Les chambres sont drapées de rouge et de blanc et le mobilier sommaire est fait de bois très rare. Au sommet du palais, on trouve la volière du roi.

Histoire

Le Royaume de Perle fut formé lors du mariage d'un prince de Rubis et d'une princesse de Cristal.

Lors de la première invasion des hommes-insectes, les guerriers de Perle quittèrent la sécurité de leur forteresse pour se précipiter sur l'ennemi qui battait en retraite vers la mer. Ce faisant, ils ont malheureusement dévié la course des dragons vers les terres habitées de Zénor. Les Zénorois n'eurent pas le temps de fuir. Pour cette raison, même à ce jour, les relations entre ces deux royaumes sont plutôt tendues.

Tempérament

Les Perlois sont ingénieux, efficaces, arrogants, dominateurs et obsédés par leur propre petite personne. Ils sont diligents, méthodiques, ordonnés et fiables. Ils sont tous très éduqués et croient qu'ils savent tout mieux que quiconque. Ils peuvent aussi être romantiques à leurs heures. Pour eux, la vie est une affaire sérieuse et ils ne croient pas au hasard. Ils obéissent aveuglément aux règlements. Ils préfèrent recevoir des idées que de recevoir des visiteurs, car ils souffrent d'insécurité.

Valeurs

Les Perlois sont anxieux de nature. Ils ont du mal à entreprendre de nouvelles choses, car ils régularisent, contrôlent, vérifient, revérifient, supervisent, assurent, examinent et documentent tout. Ils ont besoin d'être constamment rassurés. Ils sont mystérieux et parlent très peu d'eux-mêmes. En privé, ils trouvent toutes sortes de façons d'échapper à leur dure réalité. Certains boivent de l'alcool, d'autres se laissent emporter dans leurs rêves.

Vie de famille

Les Perlois aiment bien la vie de famille, à condition toutefois de pouvoir la contrôler. Les enfants doivent apprendre à se taire et à obéir à un tout jeune âge. Les Perlois veulent que leur maison soit leur havre de paix, alors ils éduquent leurs enfants en ce sens. Il est malheureux de constater qu'ils prennent parfois plus soin de leurs animaux que de leurs enfants.

Loisirs

Les Perlois ont de la difficulté à opter pour des loisirs, car ils craignent qu'on leur dise comment s'y prendre ou de ne pas être assez parfaits pour les réussir. Vous ne verrez jamais des Perlois flâner juste pour bavarder. Leur temps est bien trop précieux. Il arrive cependant que les soldats, lorsqu'ils sont de garde, tuent le temps en jouant à des jeux de dés.

Nourriture

Les Perlois ont tendance à trop manger. C'est comme s'ils avaient peur de ne plus jamais avoir de nourriture.

Ils adorent le porc et en mangent presque à tous les repas, souvent sous forme de saucisses. Ils peuvent manger jusqu'à quatre fois par jour. Presque chaque famille possède une brasserie et se vante que leur bière est la meilleure.

Éducation

Tous les enfants doivent aller à l'école du palais. Leurs professeurs très qualifiés ne cherchent pas à leur inculquer de bonnes manières ou à former leur caractère. Ils veulent plutôt leur faire acquérir toutes sortes de qualifications qui leur permettront de travailler le plus rapidement possible pour le plus grand bien du pays.

Coutumes et traditions

Tous les garçons doivent faire partie de l'armée dans leur adolescence pendant au moins trois ans. Ils ont ensuite le droit de demeurer dans l'armée ou de choisir une autre carrière.

Les soldats portent une armure similaire à celle du roi, soit dorée décorée d'un faucon, mais aucune cape. Ils se servent de lances et se battent à l'épée en combats singuliers.

Gouvernement et lois

Ne voulant surtout pas faire d'erreurs, le Roi de Perle consulte souvent ses hommes de confiance lorsqu'il prend une décision importante. Lorsque l'enjeu est moins important, il se prononce seul.

Le Roi Giller est un excellent soldat et un habile fauconnier. Il a les cheveux blonds grisonnants et les yeux bleu-gris. C'est un homme grand et musclé. Sa fille, le Chevalier Bridgess, lui ressemble beaucoup. Giller passe facilement d'une émotion à l'autre. Il entretient une véritable passion pour les oiseaux de proie.

Lorsqu'il dirige ses hommes au combat, Giller porte une armure dorée parée d'un faucon noir et une cape noire attachée à ses épaulettes.

La Reine Mélyssa est une jeune femme originaire du Royaume de Perle. Elle fit partie de l'entourage du Roi Giller pendant de nombreuses années avant qu'il ne s'intéresse vraiment à elle. Veuf depuis plusieurs années, le roi l'a finalement demandée en mariage.

La Reine Dina fut la première épouse du Roi Giller. Elle a perdu la vie en donnant naissance à leur fils benjamin, le Prince Xavier.

Le Prince Xavier a les yeux bleus et les cheveux blonds. Très éloquent, il sait capturer l'attention de son public. Il est également un habile cavalier qui n'éprouve aucune crainte de l'ennemi.

Commerce

Les Perlois brassent des bières de qualité, mais ils ne les exportent pas. En revanche, puisqu'ils ne boivent presque pas de vin, ils exportent leur excellent vin dans la plupart des royaumes d'Enkidiev. Ils dressent et vendent des chevaux remarquables et fabriquent les plus solides épées d'Enkidiev.

Informations importantes sur le Royaume de Perle

Gouvernants : le Roi Giller et la Reine Mélyssa.

Couleurs : bleu, noir et brun.

Blason : un faucon brun sur un poing noir sur fond bleu.

Dieu ou déesse : Rogantia, déesse du travail.

Chevaliers originaires de ce royaume : Aldian, Bankston, Bridgess, Christer, Deleska, Dunkel, Fideka, Gabrelle, Harrison, Hiall, Jana, Jasson, Mara, Périn, Rupert, Silvess et Tara.

Rubis

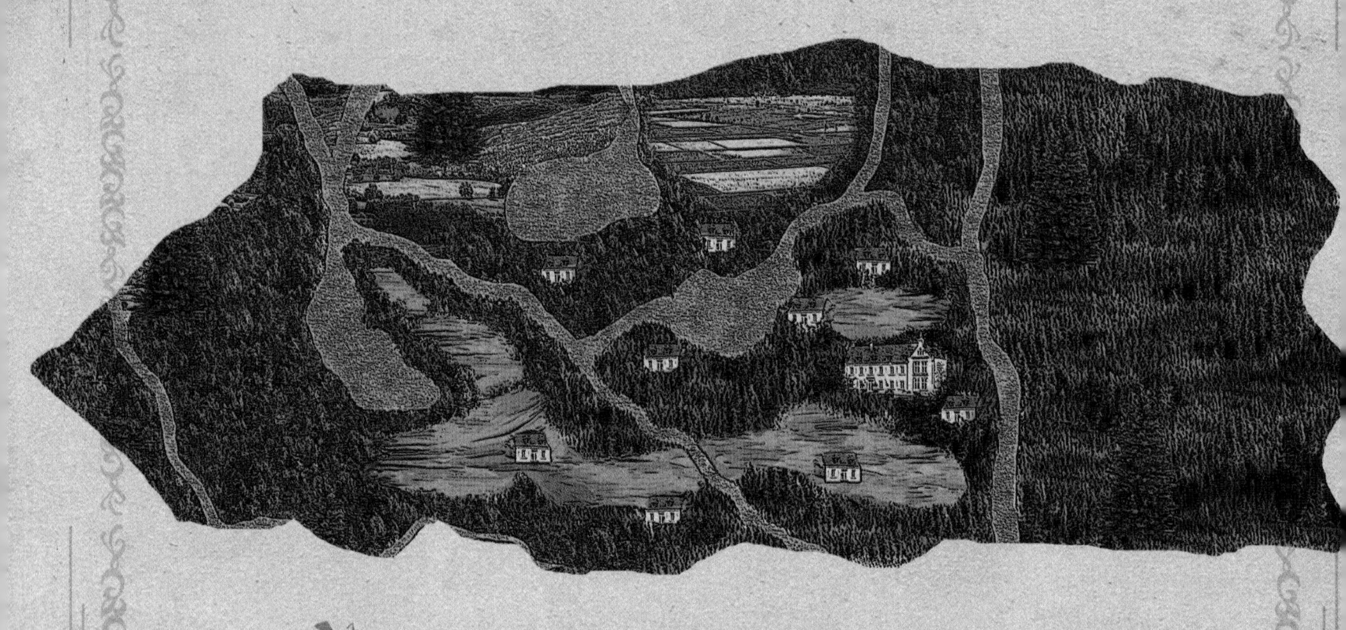

Le royaume de Rubis

Géographie

La rivière Sérida sépare le Royaume de Rubis de la chaîne de volcans. Les seuls champs cultivés se trouvent aux abords du château, car ses habitants sont surtout des chasseurs. Le reste du pays est couvert de grandes forêts et de petits lacs où abondent le gibier et le poisson.

Plusieurs cavernes sous-marines ont été creusées dans les berges de la rivière Sérida et l'une d'entre elles devint le refuge préféré du Chevalier Wellan durant son enfance.

Le palais de Rubis est le noyau central de la fortification. C'est une construction rectangulaire dépourvue de tours. Des créneaux courent le long de la muraille. Le palais est décoré de tableaux et de beaux chandeliers. Les interminables couloirs célèbrent la chasse par des peaux tendues sur les murs et des têtes d'animaux empaillées suspendues au-dessus des portes. Les balcons des chambres donnent sur la rivière et les pics volcaniques.

Le temple de Theandras, à l'intérieur du palais, n'était pas une chapelle aussi luxueuse que celle du Château d'Émeraude, les Rubiens préférant la simplicité. Sur les murs, ils avaient cloué des planches maintenant chargées de lampions. Une seule fenêtre percée dans un mur dirigeait les rayons du soleil sur la statue de la déesse pendant une bonne partie de la journée.

Histoire

À l'origine, il n'y avait que trois royaumes sur Enkidiev : le Royaume de Cristal, le Royaume de Rubis et le Royaume des Fées. Il n'y avait que trois grandes familles royales qui s'étaient divisé tout le territoire en régions plus ou moins égales.

Les autres royaumes apparurent lorsque leurs monarques durent séparer leurs terres entre leurs enfants et en céder une partie aux Elfes lorsque ces derniers arrivèrent sur le continent.

Le Royaume de Rubis fut détruit par une pluie de rocs en feu et de cendres épaisses dans les premières années de sa fondation, et fut entièrement rebâti.

Tempérament

Les Rubiens sont des gens qui débordent de joie de vivre. Ils adorent boire, manger et chasser. Ils font tout à outrance et ils adorent gagner. Ils ont de l'initiative et n'attendent pas de voir ce que feront les autres royaumes avant de prendre une décision. Ils sont optimistes, mais aussi sceptiques. Ils sont logiques, même si leur logique est parfois difficile à cerner. Ils ont transformé la camaraderie en un art sacré. Un Rubien ne laisse jamais tomber un camarade et il ne commettra jamais d'indiscrétion à son égard. Une fois qu'un Rubien a décidé de faire quelque chose, personne ne peut l'en dissuader. Ils sont très têtus.

Valeurs

Les Rubiens peuvent parfois sembler désinvoltes, car ils ne vivent pas selon les lois et les coutumes des autres royaumes. Ils ont inventé tout ce dont ils avaient besoin en fonction de la géographie spéciale de leur pays. Lorsqu'ils font face à des pluies torrentielles, ils arrêtent toute activité pour se précipiter au secours des riverains. Lorsqu'il fait trop chaud, ils paressent dans leurs pavillons. Si le temps est idéal pour la chasse, alors le roi lui-même abandonne sa cour pour aller chasser. Ce sont des gens qui savent profiter de la vie.

Vie de famille

Tous les petits villages ont leur propre système d'éducation. On apprend davantage aux enfants à pêcher, à chasser et à dépecer du gibier qu'à lire et à écrire.

Puisque les mariages se font entre les villages, au moins une fois par année, les Rubiens en profitent pour visiter leur famille qui vit ailleurs dans le royaume.

Loisirs

Les Rubiens sont de grands chasseurs. Ils passent au moins la moitié de l'année à la chasse. La pêche est davantage réservée aux femmes et aux enfants.

Nourriture

Ils ne consomment que de la viande, parfois accompagnée de légumes, et boivent d'énormes quantités de bière et de vin. Les repas servent toujours à célébrer quelque chose.

Éducation

Les mères assurent l'éducation de leurs enfants, mais ont souvent à les disputer à leurs maris qui veulent les emmener dans la forêt pour apprendre à traquer les proies. Dès qu'ils sont plus vieux, elles ne peuvent plus les retenir.

Coutumes et traditions

Les Rubiens vénèrent Theandras, la déesse du feu. D'ailleurs, ils sont convaincus que lorsque tout le royaume fut la proie des flammes, c'est que son monarque de l'époque avait décidé d'aller chasser plutôt que de rendre hommage à la déesse, le jour prescrit par les prêtres. Les Rubiens se recueillent devant la statue de Theandras en joignant les mains sous leur menton et en inclinant la tête avec respect. Les morts sont incinérés sur des bûchers après que leur famille et leurs amis ont défilé devant la dépouille. Les cendres sont ensuite conservées dans des urnes.

GOUVERNEMENT ET LOIS

Le Roi de Rubis fait régner la justice selon son humeur de la journée. Les lois ne sont écrites nulle part. En cas de doute, le roi tentera de savoir ce que son homologue d'Émeraude a décidé dans une pareille circonstance.

Le Roi Stem de Rubis, frère aîné de feu Sire Wellan, a les cheveux noirs qui grisonnent sur ses tempes. C'est un homme nerveux, qui veut toujours bien agir, mais qui souffre d'hésitation. Il a épousé la Princesse Maud de Béryl qui lui apporte beaucoup de réconfort.

La Reine Maud, aux longs cheveux blonds, a appris à calmer les inquiétudes de son époux. Elle possède un bon jugement et fait toujours preuve de logique.

Le défunt Roi Burge était un homme de stature imposante et d'une grande force physique. Il a beaucoup voyagé avec ses enfants lorsqu'ils étaient jeunes afin qu'ils connaissent le continent et qu'ils cultivent leurs esprits.

La Reine Mira, épouse du Roi Burge, est grande et mince. Sa peau est blanche comme la neige. Son visage encadré de longs cheveux noirs est très autoritaire. C'est une femme froide, belle, élégante et intelligente. Elle n'affiche jamais ses véritables émotions. Après la mort de Burge, elle a cessé de quitter ses appartements.

COMMERCE

Les Rubiens n'ayant ni le climat ni l'espace pour produire leur propre vin, ils en achètent aux autres royaumes. De leur côté, ils exportent du cuir ainsi que des brides et des selles de grande qualité.

INFORMATIONS IMPORTANTES SUR LE ROYAUME DE RUBIS

Gouvernants : le Roi Stem et la Reine Maud.

Couleurs : jaune et noir.

Blason : un sanglier noir sur fond jaune.

Dieu ou déesse : Theandras, la déesse du feu.

Chevaliers originaires de ce royaume : Benson, Callaan, Cilian, Falide, Héliante, Jolain, Jonas, Jukos, Léode, Michal, Noémie, Offman, Randan, Romald, Romy, Vassilios, Wellan et Yancy.

La carte du Royaume de Saphir reste encore à être dessinée.

Hadrian.

LE ROYAUME DE SAPHIR

GÉOGRAPHIE

Le Royaume de Saphir est le nom que Jasson a donné à la Forêt Interdite. Il se situe au pied des falaises de Béryl.

HISTOIRE

Un groupe d'Enkievs s'est réfugié dans cette forêt il y a des milliers d'années et a été complètement coupé de leurs semblables restés sur le continent. Leur évolution a été fort différente et ils sont beaucoup plus proches des Anciens que les habitants actuels d'Enkidiev.

TEMPÉRAMENT

Les descendants des Enkievs qui habitent toujours cette forêt ont tout de suite adopté ce nom. Ce sont des gens superstitieux, timides et farouches. En raison de leur isolement, ils mettent beaucoup de temps avant de donner leur confiance. Une fois que c'est fait, par contre, ils deviennent des gens très courtois, attentionnés et hospitaliers.

VALEURS

Toute la vie des Saphiriens tourne autour de leur religion. Leurs ancêtres n'ont connu Kira que peu de temps, mais ils ne l'ont jamais oubliée. Elle est devenue leur déesse, celle dont ils attendent le retour. Ils ne font pas un pas sans prononcer une prière ou une incantation pour elle. Le fait qu'elle ne soit jamais revenue leur cause beaucoup de tristesse.

VIE DE FAMILLE

Les Saphiriens savent que les enfants représentent leur futur, alors ils en prennent bien soin. Les couples sont formés à vie et ils sont très stables, ce qui permet aux enfants de se développer sans inquiétude.

LOISIRS

Les Saphiriens ne savent même pas ce que sont des loisirs. Ils travaillent sans cesse comme de petites abeilles dès leur lever jusqu'à ce que le soleil descende dans le ciel.

NOURRITURE

La jungle leur fournit d'innombrables variétés de fruits toute l'année. Les Saphiriens ne se servent de leurs javelots que pour prendre du poisson. Jamais ils ne consomment la chair d'un mammifère.

ÉDUCATION

On apprend aux enfants à un tout jeune âge la place qu'ils occupent dans l'Univers, ce que les dieux ont fait pour eux, les promesses qu'ils leur ont faites. Les choses matérielles sont reléguées au second plan. Lorsqu'ils sont plus vieux, les deux parents apprennent à leurs enfants à lire et à écrire, puis leur enseignent des techniques dont ils auront besoin dans le futur, que ce soit le tissage, la menuiserie, la confection de javelots ou de crochets pour la pêche, etc.

COUTUMES ET TRADITIONS

Plusieurs fois par année, les Saphiriens rendent hommage à la déesse Kira, fille du ciel, dans un grand temple situé à l'ouest de leur village.

GOUVERNEMENT ET LOIS

Le grand prêtre fait office de dirigeant et juge de la société. Les Saphiriens croient qu'il détient un grand pouvoir magique et n'osent jamais s'opposer à lui.

COMMERCE

Ayant oublié qu'ils avaient des voisins sur les hauts plateaux d'où tombent les cascades, les Saphiriens n'ont jamais pensé à faire du commerce.

INFORMATIONS IMPORTANTES SUR LE ROYAUME DE SAPHIR

Gouvernants : Zuran.

Couleurs : mauve et blanc.

Blason : un œil mauve avec une pupille verticale sur fond blanc.

Dieu ou déesse : Kira et Parandar.

Chevaliers originaires de ce royaume : aucun.

Shola

LE ROYAUME DE SHOLA

GÉOGRAPHIE

Le Royaume de Shola se trouve à l'extrême nord d'Enkidiev, sur un plateau qui surplombe le Royaume des Elfes. À l'est, d'autres falaises s'élèvent, au-dessus desquelles s'étend le Royaume des Ombres. Shola ne fait pas partie de la même chaîne de montagnes que le Royaume des Ombres.

Son sous-sol est plus stable. C'est une terre rocailleuse, presque continuellement recouverte de neige. Le soleil ne brille presque jamais sur ce royaume. Rien n'y pousse. L'air y est plus rare que sur le reste du continent et aucun animal ne s'y aventure, sauf les Dragons des mers qui viennent dormir sur ses plages recouvertes de glace.

Le climat y avait été plus clément, au début des temps, mais d'importants séismes et des changements climatiques ont radicalement transformé cette contrée. Le sous-sol de Shola contient d'importantes mines de pierres précieuses, mais personne n'en connaît l'emplacement exact.

Un sentier serpente dans la falaise qui relie Shola au reste du continent. Il fut tracé avec le temps, afin de permettre des échanges commerciaux avec les autres contrées. La forteresse et le palais de Shola étaient de glace. Des tapisseries décoraient les murs et d'épais tapis aux couleurs vives recouvraient le sol. Des chandeliers en argent étaient suspendus à des chaînes partant des plafonds. L'escalier donnant accès au deuxième étage était fait de blocs de glace superposés, sans balustrade ni ornement. Tous les bâtiments du château furent détruits lors de l'attaque des guerriers noirs. Seule la crypte a échappé à l'incendie.

HISTOIRE

On ne sait presque rien du passé de ce peuple timide et effacé, sinon qu'un grand roi y régna. Il s'appelait Ménesse et il était d'abord et avant tout un grand explorateur. Je suspecte qu'il est l'auteur de la plupart des cartes géographiques que nous retrouvons à la bibliothèque du Château d'Émeraude. Apparemment, ce puissant souverain aurait imposé sa langue et ses coutumes aux humains et aux Elfes qui vivaient dans le nord. C'est probablement ainsi que la langue des Anciens devint la langue moderne.

Ménesse était un conquérant, qui possédait de nombreux navires. Il sillonnait les mers à la recherche d'on ne sait quoi. Son épée fut trouvée par Kira sur l'île des Lézards.

Le Roi Draka d'Argent et son fils Shill furent exilés à Shola après sa défaite au Royaume d'Émeraude, laissant son royaume côtier à Cull, son fils benjamin. Shill épousa la Princesse Fan de Shola et devint le roi de cette contrée à la mort du Roi de Shola.

Durant la deuxième invasion, le Royaume de Shola fut entièrement détruit et ses habitants anéantis lors d'une attaque menée par le sorcier Asbeth qui avait reçu de l'Empereur Noir l'ordre d'aller chercher sa fille Narvath (nom tanieth de Kira).

Plus personne ne vit dans ce pays désormais.

Tempérament

Les Sholiens étaient des êtres pacifiques qui vivaient en retrait du reste du continent, par choix. La plupart étaient issus de croisements entre les Fées et les Elfes, et leur nature émotive et sensible les portait tout naturellement à une vie de contemplation et de méditation.

Valeurs

Les Sholiens croyaient que toutes les créatures de Parandar étaient égales entre elles et qu'elles méritaient toutes d'être traitées avec dignité. C'est la raison pour laquelle ils ont accepté de veiller sur les hybrides que Nomar traquait et ramenait au Royaume des Ombres.

Vie de famille

Les rares enfants des Sholiens étaient souvent laissés à eux-mêmes, car leurs parents devaient consacrer la plus grande partie de la journée à des activités spirituelles. Les enfants apprenaient donc rapidement à se nourrir seuls ou ils mourraient.

Loisirs

Les Sholiens n'ont jamais accordé de temps à des activités de loisirs.

Nourriture

Les Sholiens mangeaient très peu et ils devaient compter sur leurs voisins du sud qui leur apportaient des denrées en échange des joyaux que les Sholiens extrayaient du sol gelé de leur royaume.

Éducation

Les enfants ne commençaient à apprendre la méditation et la contemplation qu'à la puberté. Avant cela, les Sholiens les faisaient descendre dans les mines pour qu'ils exercent leurs pouvoirs en délivrant les pierres précieuses de leurs cocons de roc.

Coutumes et traditions

À leur mort, les souverains étaient déposés dans des tombeaux de pierre, dans une crypte située sous le palais. On ignore toutefois leurs rites funéraires.

Gouvernement et lois

Nous ne connaissons pas le type de gouvernement choisi par les Sholiens, à part le fait qu'ils avaient un Roi. Nous ne savons pas non plus si les enfants des monarques héritaient automatiquement du trône ou si le peuple procédait à des élections.

Le Roi Shill de Shola fut le premier souverain de ce royaume à communiquer ouvertement avec le monde extérieur. Il était magicien et sa mère était une Fée.

Son épouse, la noble Reine Fan, était maître magicien de naissance. Son père était le Roi Tenan de Shola et sa mère la Reine Caserte, une Elfe. La mère de Caserte était une Fée. La Reine Fan a les traits fins et des cheveux presque transparents. Ses yeux sont argentés. Elle est d'une rare beauté. Elle donna naissance à Kira, la fille de l'Empereur Noir, et eut une deuxième fille avec le Roi Shill.

Commerce

Par le passé, les Sholiens échangeaient des pierres précieuses contre les denrées alimentaires qui leur permettaient de survivre. Une fois que le Roi Draka fut exilé dans ce pays, les autres royaumes cessèrent de faire du commerce avec les Sholiens qui eurent beaucoup de mal à survivre.

Les Sholiens qui vivaient sous terre et qui servaient Nomar survécurent au massacre du palais par les troupes d'Amecareth, mais ils ont tous péri dans l'incendie qui a ravagé les cavernes et les tunnels d'Alombria.

Informations importantes sur le royaume de Shola

Gouvernants : ses derniers monarques furent le Roi Shill et la Reine Fan.

Couleurs : le bleu et le blanc.

Blason : quatre saphirs étoilés sur fond blanc.

Dieu ou déesse : Parandar.

Chevaliers originaires de ce royaume : Kira.

Turquoise

Le Royaume de Turquoise

Géographie

Le Royaume de Turquoise est lové dans une profonde vallée, entre les Royaumes d'Émeraude, de Béryl, de Fal et de Perle. Les villages sont établis le long de la rivière Wawki et les cultures se font sur différents petits plateaux, entre les immenses arbres. Les forêts humides ne sont pas défrichées, car les Turquais sont convaincus que leur sol est magique et que les arbres en sont les gardiens. Ils refusent de les abattre.

Il n'y a ni forteresse ni palais au Royaume de Turquoise. Le roi habite une simple chaumière entourée d'une vingtaine d'autres qui forment un petit hameau.

Histoire

Le Royaume de Turquoise fut créé lorsque le Royaume de Rubis fut partagé en cinq parties qui devinrent les Royaumes de Turquoise, de Béryl, de Jade, d'Opale et de Rubis.

L'Immortel Danalieth, fuyant la fureur de Parandar, s'établit dans les forêts de Turquoise. Afin de ne pas être découvert par ses habitants, il utilisa sa magie. D'abord, il imprima dans l'esprit des Turquais la crainte de l'obscurité. Toutes les nuits, les habitants s'enfermaient dans leurs chaumières afin de ne pas être dévorés par les dragons qu'ils entendaient gronder au loin. Puis, au besoin, lorsqu'un jeune téméraire s'aventurait trop près de son antre, Danalieth utilisait des illusions pour lui faire tourner prestement les talons.

Tempérament

L'identité est primordiale aux Turquais. Ils sont très attachés à leurs racines et ils savent exactement d'où ils viennent. Ils sont joyeux, passionnés, brillants et inventifs. Ils ont un talent pour le chant et les contes. Ils sont charmants à outrance et reçoivent leurs visiteurs et leurs amis avec plaisir. Ils ont de belles manières et ils sont très chaleureux. Ils sont également très superstitieux et croient que la nuit, toutes sortes de créatures dangereuses errent dans la forêt.

Valeurs

L'amour est très important pour les Turquais, et non seulement l'amour physique, mais également l'amour inconditionnel. Les Turquais ont une peur bleue de la trahison. Toute traîtrise les blesse profondément.

Vie de famille

La famille est l'unité la plus importante de cette société. Le père est le chef de la famille. Il pense qu'il prend toutes les décisions et qu'il fait tout le travail, alors qu'en réalité c'est la mère qui fait tout. Les garçons sont plus favorisés que les filles dans la famille, ce qui oblige les filles à en faire toujours plus pour se faire apprécier.

Loisirs

Les Turquais sont des spécialistes des loisirs et ils ne se sentent pas du tout coupables de remettre leurs tâches au lendemain s'ils ont la chance de s'amuser.

Nourriture

Une partie de la vie des Turquais tourne autour de la nourriture. Personne n'aime plus qu'eux cultiver, préparer et partager leur nourriture. Ils ne mangent jamais seuls. Habituellement, ils invitent leurs voisins, leurs parents et même les étrangers. Ils adorent les purées de tomates, de pommes de terre et de champignons, ainsi que le fromage. Ils consomment beaucoup de laitue assaisonnée de mille façons, du vin et de la bière. Ils sont également friands de raisins qu'ils font pousser dans des clairières protégées.

Éducation

Les enfants reçoivent leur éducation tous ensemble dans leur village, peu importe leur âge. Elle est fournie par les plus âgés qui non seulement leur apprennent à lire et à écrire, mais qui leur racontent aussi les légendes de leur pays. À l'adolescence, ils cessent d'assister aux cours et prennent leur place dans la société des adultes.

Les contes et légendes turquaises sont transmises de génération en génération par les vieilles gens du pays.

Coutumes et traditions

Les Turquais aiment les épreuves de force et, tous les ans, ils organisent un tournoi pour les jeunes du pays, où ils démontrent leur adresse à grimper les arbres, lancer le javelot et bien d'autres disciplines reliées à leurs travaux de tous les jours.

Gouvernement et lois

Le Roi de Turquoise possède tous les pouvoirs, mais il n'y a jamais de disputes dans son royaume. Comme dirigeant du pays, il fait plutôt régulièrement le tour des villages pour s'assurer que tout va bien.

Le Roi Toma n'est pas très grand, mais ses épaules sont larges et ses bras musclés. Ses cheveux roux bouclés tombent dans son dos et ses yeux bleus sont perçants. Il se dégage de lui une force tranquille et une honnêteté à toute épreuve.

La Reine Rojane est une femme du peuple qui aime la vie et les enfants. Elle assure personnellement l'enseignement des petits de son propre village et leur transmet ses belles valeurs sans qu'ils s'en aperçoivent.

Le Prince Levin est le portrait de son père. Doux, patient et d'une logique implacable, il fera un bon roi.

Commerce

Les Turquais font peu de commerce, car ils ont déjà tout ce qu'ils désirent, mais il leur arrive au moins une fois l'an d'acheter du tissu à leurs voisins lors des Fêtes de Parandar.

Les villages communiquent entre eux grâce à un code qu'ils tapent sur des tambours.

Informations importantes sur le royaume de Turquoise

Gouvernants : le Roi Toma et la Reine Rojane.

Couleurs : gris et turquoise.

Blason : un cercle de menhirs gris sur fond turquoise.

Dieu ou déesse : Valioce, déesse de la fertilité et Nadian, dieu des forges.

Chevaliers originaires de ce royaume : Aidan, Anton, Dalvi, Domenec, Falcon, Haspel, Hettrick, Kilimiris, Kowal, Kruse, Mérine, Nogait, Parise, Prorok, Radama, Salmo, Saphora, Sédanie, Sylmide et Terri.

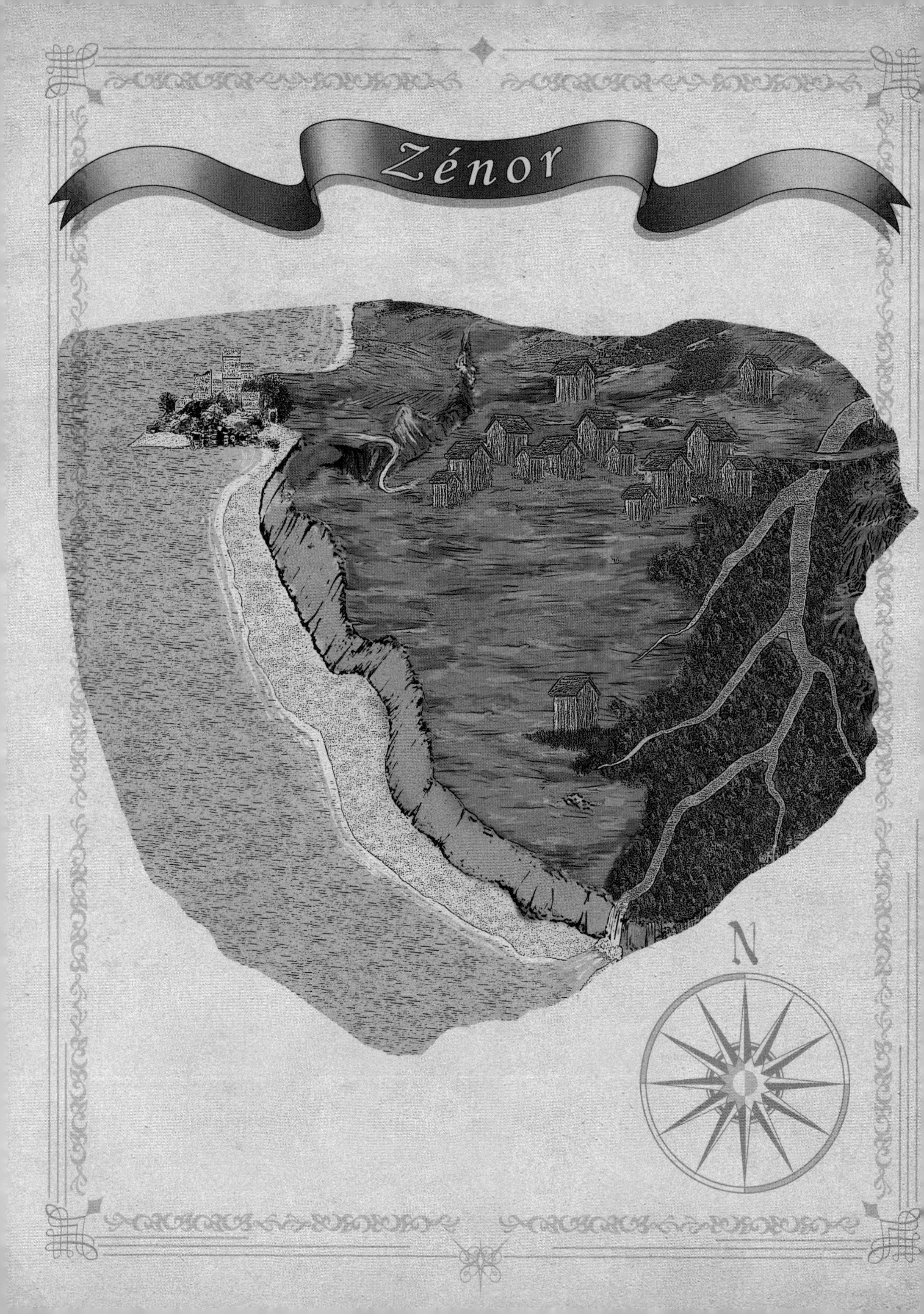
Zénor
N

Le Royaume de Zénor

Géographie

Le Royaume de Zénor est le dernier pays côtier au sud d'Enkidiev. À l'origine, le Royaume de Cristal s'étendait jusqu'à la Montagne de Cristal. Il fut fractionné en quatre parties qui devinrent les Royaumes de Zénor, de Fal, d'Argent et de Cristal, dotant tous les jeunes princes de leur propre territoire. Zénor et Fal étaient les noms de deux de ces princes.

Son château, désormais en ruines, était l'un des plus beaux du continent. Bâti sur une pointe rocheuse s'avançant dans la mer, encore aujourd'hui, il donne l'illusion que ses fondations baignent dans l'eau. Il ne reste maintenant que trois de ses quatre tours, la quatrième ayant été entièrement rasée. Son architecture est différente de celle du Château d'Émeraude, plus dénudée, sans artifices. Il donne plutôt une impression de force dans sa sobriété. Le balcon royal surplombe l'océan. Il y a également une terrasse sur son côté nord d'où on peut voir la plage de galet à l'infini, celle-là même où eurent lieu les derniers combats de la première invasion. Dans le grand hall, lorsqu'on fait chauffer l'âtre, le plancher de pierre devient chaud et confortable. Le grand escalier menant à l'étage est encore solide et le toit tient encore. Quelques-unes des chambres sont encore utilisables. Le quatrième mur du château, celui qui prenait racine dans la terre ferme, s'est écroulé et la végétation s'est graduellement emparée de la cour. Il y a un puits près des écuries. Farrell a autrefois réparé une partie du mur est et les Chevaliers, lors d'une compétition amicale, ont terminé le travail.

Non loin du château se dressent les ruines de l'ancienne cité de Zénor. La falaise se situe à environ une heure de la cité. Un sentier traverse la plaine et rejoint un autre sentier creusé dans le roc qui mène jusqu'au plateau. Des blocs de pierre ont obstrué cette route après un combat entre les Chevaliers d'Émeraude et les imagos d'Irianeth. Ils ont éventuellement été déplacés pour rétablir l'accès à la mer.

Un grand combat eut lieu à cet endroit entre les sorciers d'Amecareth et les Chevaliers d'Émeraude, la plage ainsi que la plaine furent ensorcelées. Plus tard, c'est aussi sur cette plage que furent creusés les pièges pour arrêter la poussée des dragons. Les galets les ont comblés depuis.

Sur le plateau, l'herbe recouvre la plaine à perte de vue. De grandes forêts noircissent l'horizon au sud-est là où se termine la course de la rivière Mardall. Des montagnes au loin séparent Zénor des Royaumes de Fal et de Perle. Les villages et les champs des Zénorois se trouvent près de la rivière.

La famille royale vit désormais sur le plateau avec le peuple. Elle habite une petite maison toute simple en bordure du village, de la même taille que celles de leurs sujets. Son mobilier est rudimentaire.

Histoire

Ce sont les Zénorois qui ont le plus souffert lors de la première invasion des hommes-insectes. Les habitants du plateau furent presque anéantis lorsque les dragons et leurs maîtres battirent en retraite vers la mer et furent déviés sur leur pays par les armées de Perle. Les survivants de ce massacre doivent la vie à ceux qui allumèrent des feux pour empêcher les monstres de foncer vers les derniers villages.

Quant aux habitants de la cité, la plupart périrent lorsque cette dernière fut détruite par les sorciers. Les survivants quittèrent la plage pour aller vivre sur le plateau, car plus rien ne poussait sur la plaine ensorcelée.

Tempérament

Les Zénorois sont différents de tous les autres peuples et ils adorent cette différence. Ils sont bien éduqués, rusés, flamboyants, bruyants et exubérants. Ils sont indépendants, mais très chaleureux et ils ont un bon sens de l'humour. Les Zénorois ont aussi un côté très spirituel. Ils ont beaucoup souffert lors de la première invasion des hommes-insectes et ils commencent à peine à s'en remettre. C'est le courage et l'optimisme qui leur ont permis de rebâtir leur société.

Valeurs

Il n'y a pas de classes sociales chez les Zénorois. Ils sont tous sur un pied d'égalité, même le roi. Ce sont des gens très fiers, peu importe leurs moyens. Ils sont non-conformistes et ils ne sont jamais pressés.

Vie de famille

La mère est l'influence prédominante de la famille, mais la plupart des mères doivent travailler avec leurs maris pour assurer leur subsistance. Les liens de famille sont très forts.

Loisirs

Les Zénorois aiment les grosses fêtes. Ils trouvent toutes sortes de prétextes pour se réunir, boire, manger et danser, mais toujours après les travaux. Ils se détendent en pêchant sur le bord de la rivière ou en travaillant le bois pour faire de belles sculptures ou des jouets pour les enfants.

Nourriture

Les Zénorois aiment enrober leur nourriture dans de la pâte, que ce soit de la viande, des légumes ou même des fruits. Ils boivent de la bière et parfois du vin, mais ils sont de grands amateurs de thé.

Éducation

Les enfants commencent à travailler assez tôt aux champs avec leurs parents. C'est donc durant la saison des pluies, pendant qu'ils n'ont que les troupeaux à surveiller de temps en temps, qu'ils reçoivent leur éducation, selon leur âge. Leurs aînés les plus instruits leur apprennent à écrire, à lire et à compter. Mais ce sont les conteurs qui leur relatent les légendes de leur peuple qu'ils devront un jour conter à leur tour.

Coutumes et traditions

Les Zénorois refusent de s'approcher de l'ancien Château de Zénor en raison de tous les mauvais sorts qui y ont été jetés par les sorciers. Le Roi Vail, moins superstitieux, trouve malheureux que cet endroit soit devenu un monument funèbre. Il aurait préféré qu'il célèbre la ténacité et la bravoure de son peuple.

Le roi a fait élevé au milieu de son village le squelelle d'un dragon pour que son peuple n'oublie jamais ses souffrances.

Les rites du mariage sont scrupuleusement suivis. Le matin de la cérémonie, le jeune marié accompagne ses amis à la rivière où il doit ramasser des cailloux brillants, qui sont en fait des pépites d'or. Puis ils s'assoient autour d'un feu où sont jetées des herbes destinées à purifier les intentions du jeune marié. Un aîné lui énumère alors les devoirs d'un époux.

Le futur marié enfile alors une tunique blanche toute simple et se rend au domicile de sa belle pour la demander officiellement en mariage à son futur beau-père. Ils s'assoient ensemble et boivent pendant que le beau-père lui raconte l'histoire de sa famille.

C'est ensuite le festin avec tout le village. La future mariée n'apparaît que lorsque la fête bat son plein.

Gouvernement et lois

Le Roi de Zénor a surtout un pouvoir de veto parmi les aînés de son peuple, car les décisions importantes sont toujours prises lors d'un conseil. Autrement, il travaille la terre comme ses sujets et ne reçoit aucun traitement préférentiel.

Le Roi Vail de Zénor est un homme honnête et bon. Il a les cheveux blonds et les yeux bleus. Il est intelligent et aime profondément son peuple qu'il défendra jusqu'à son dernier souffle.

La Reine Jana est une femme courageuse, qui ne se plaint jamais et qui croit au destin.

Le Roi Vail et la Reine Jana ont eu trois enfants : Zack, Mona et Lassa.

Le Prince Zack a les cheveux blonds. Sincère, honnête et dévoué, ce futur roi est musclé et large d'épaules. Il a un regard pétillant et de longs cheveux blond-roux.

La Princesse Mona a épousé le Prince Rhee d'Argent.

Quant à Lassa, le porteur de lumière, il a été enlevé à sa famille peu de temps après sa naissance par le Magicien de Cristal, pour le protéger de ses ennemis.

COMMERCE

Les Zénorois produisent tout juste assez de nourriture pour satisfaire leurs propres besoins. Ils n'ont donc rien à offrir commercialement. Cependant, il arrive que leurs voisins de Cristal leur apportent des chariots remplis de vivres lorsqu'ils ont des surplus.

Les Zénorois possèdent désormais sept vaisseaux ayant appartenu à la flotte d'Amecareth, qu'ils ont transformés en bateaux de pêche.

INFORMATIONS IMPORTANTES SUR LE ROYAUME DE ZÉNOR

Gouvernants : le Roi Vail et la Reine Jana.

Couleurs : beige, bleu et rouge.

Blason : une tour ailée beige sur un fond bleu (en bas) et rouge (en haut).

Dieu ou déesse : Ivana, déesse des festivités, Sauska, déesse ailée de la guérison et Vatacoalt, dieu des vents.

Chevaliers originaires de ce royaume : Ali, Alisen, Cristelle, Curtis, Fayden, Fossell, Ivanko, Jaromir, Kevin, Kumitz, Lassa, Malède, Pierce, Reiser et Tivador.

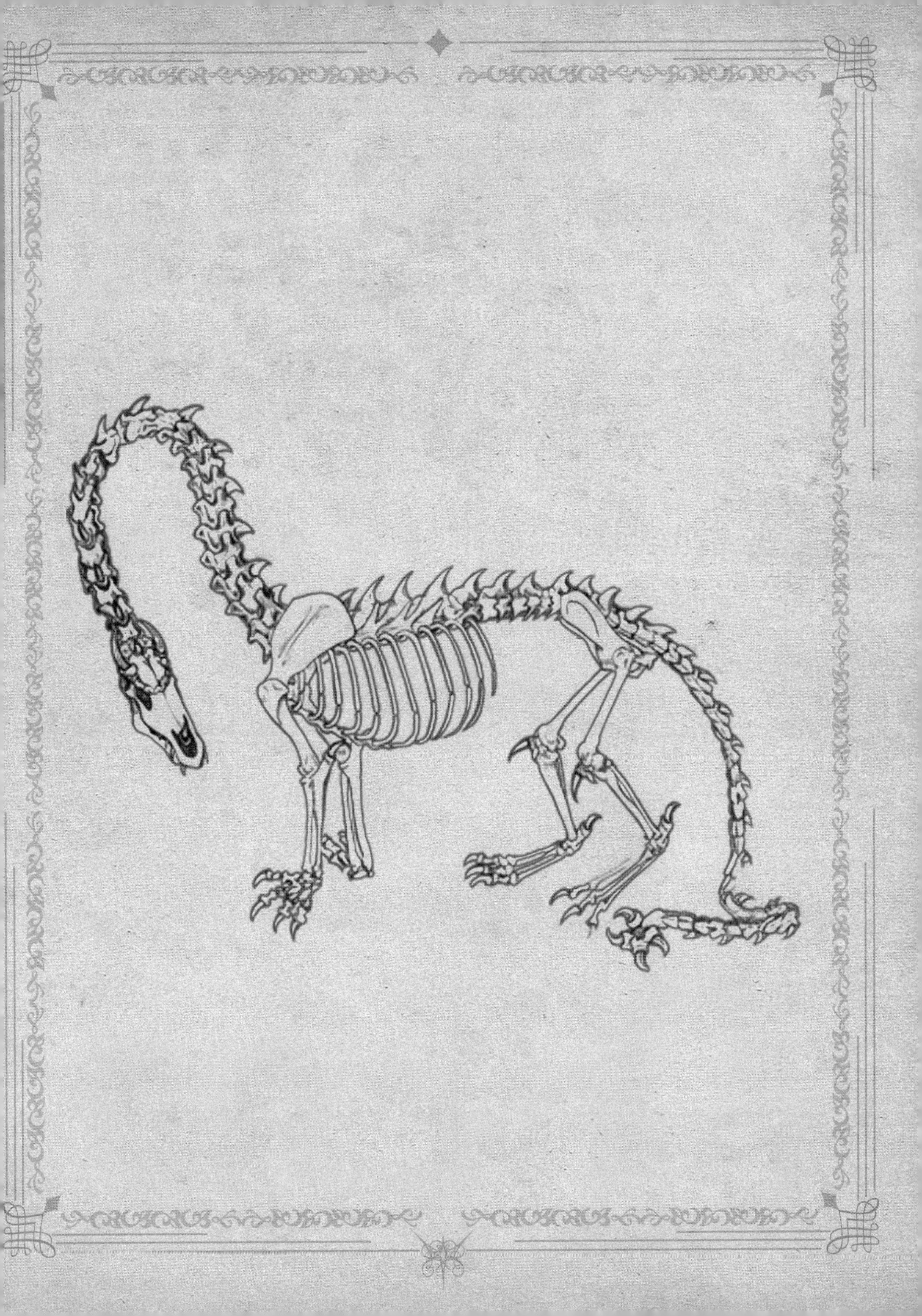

La carte du Royaume de Zircon reste encore à être dessinée.

Hadrian.

Le royaume de Zircon

Le Royaume de Zircon est le nom que le traître Nomar a donné à son deuxième abri souterrain sous le Désert. Nous tenons la description de cet endroit de Jahonne qui y a séjourné quelque temps, bien contre son gré. Il s'agissait d'une immense caverne aux murs polis comme des diamants, au centre de la laquelle, une source lumineuse bleutée se reflétait sur tous les murs. Cette lumière provenait d'un démon de Jérianeth qui s'y était installé des centaines d'années auparavant.

La caverne fut créée par la terrible chaleur des anciens volcans et elle comptait de nombreuses galeries. Son sol vitreux était parsemé de cailloux transparents. Le cristal de la caverne possédait une charge magique qui empêchait Abnar, prisonnier d'Akuretari, de communiquer avec qui que ce soit avec son esprit.

Au-delà de la caverne où se trouvait l'étang, les murs étaient percés d'une multitude de couloirs arrondis, éclairés par des pierres lumineuses. L'un d'eux aboutissait dans une grotte funéraire. Sur cinq autels de cristal reposaient les corps sans vie des derniers hybrides que Nomar avait retrouvés sur Enkidiev. Plus loin, dans une autre niche, on trouvait des victuailles.

Lorsque Jahonne et Atlance ont réussi à s'enfuir de cette prison de cristal, Onyx s'est évidemment précipité au Royaume de Zircon pour tenter de punir celui qui avait enlevé son fils. Il a réussi à tuer le démon de Jérianeth, à blesser Akuretari et à s'emparer à son tour d'Abnar.

Ce royaume est désormais inhabité.

La carte du Désert reste encore à être dessinée.

Hadrian.

Le désert

Géographie

Le Désert est une immense étendue de sable, ponctuée de milliers d'oasis, à l'extrême sud du continent. Même s'il est presque aussi grand qu'Enkidiev, il est à peine peuplé. C'est un pays dangereux, mais aussi très beau et très serein. Les couchers de soleil y sont époustouflants.

Histoire

À l'origine, le Désert a été peuplé par des criminels qui cherchaient à échapper à la justice. Aujourd'hui, leurs descendants sont parfaitement adaptés aux conditions uniques de ce pays et vivent en tribus qui sont, pour la plupart, nomades.

Tempérament

Malgré le passé douteux de leurs ancêtres, les Désertins sont fiers et indépendants. Personne ne s'aventure jamais sur leur territoire, alors ils y sont entièrement libres.

Valeurs

Les Désertins respectent le territoire que chaque tribu s'est approprié au fil des ans. Ils sont loyaux, amicaux, mais ne se laissent pas marcher sur les pieds. Ils sont également d'une grande générosité.

Vie de famille

La vie est dure dans le Désert et les enfants meurent souvent en bas âge, alors les parents chérissent ceux qui survivent et ils ne les quittent pas des yeux.

Les familles restent aussi longtemps que possible dans l'oasis qu'elles ont choisi, mais bien souvent les conditions climatiques les obligent à se déplacer.

Loisirs

Les Désertins aiment bien s'amuser à la fin de la journée, lorsque le temps se rafraîchit. Ils organisent des jeux d'adresse entre les membres de la tribu et même des courses de chevaux entre tribus. Ils ont également des jeux de billes avec des règles très compliqué. Un de leurs passe-temps préférés est la contemplation des étoiles.

Nourriture

Les Désertins trouvent tout ce dont ils ont besoin pour survivre dans les oasis qui regorgent de fruits. Ceux qui vivent en bordure de la Forêt Interdite réussissent parfois à tuer un animal qui s'est aventuré de l'autre côté de la rivière. Ceux qui vivent en bordure de la mer ont appris à attraper du poisson et des crustacés.

Aux dires de Bergeau, les animaux du Désert ne sont pas tous comestibles. Certains ont des carapaces aussi épaisses qu'une poutre de bois et des dents longues comme des poignards. Ce fait n'a cependant jamais été vérifié. Certaines bêtes qui ressemblent à des versions miniatures des dragons de l'Empereur Noir, sont sournoises et tuent les enfants dans leur berceau.

Éducation

Les enfants n'apprennent ni à lire ni à écrire, car il n'y a aucun livre dans le Désert. Ils apprennent cependant à compter au cas où ils auraient à faire du troc avec d'autres tribus et à monter à cheval. Ils passent toute leur enfance à aider leurs parents à monter et démonter leur campement lorsqu'ils changent d'oasis.

Coutumes et traditions

Les coutumes varient d'une tribu à l'autre et n'ont pas encore été recensées.

Gouvernement et lois

Dans le Désert, il y a des lois tacites entre les différentes tribus qui respectent leur territoire respectif, mais aucune autorité centrale. Chaque tribu applique sa propre loi. Le vol et le meurtre sont sévèrement punis. Les autres offenses peuvent être expiées par des travaux forcés.

Commerce

Il arrive que des tribus échangent des denrées entre elles, mais cela n'arrive pas souvent, car elles sont autosuffisantes.

Informations importantes sur le Désert

Gouvernants : chaque tribu a son propre chef.

Couleurs : le blanc.

Blason : chaque tribu a son blason où figure surtout le soleil.

Dieu ou déesse : chaque tribu a son propre dieu.

Chevaliers originaires de ce royaume : Bergeau, Madier, Morgan, Pencer et Sheehy.

La carte de l'Île des Araignées reste encore à être dessinée.

Hadrian.

L'île des Araignées

Géographie

L'île des Araignées se situe au-delà des Territoires Inconnus, dans une grande baie.

Histoire

Les Tégénaires elles-mêmes ne la connaissent pas. Elles prétendent être descendues des étoiles, mais ne savent pas comment elles ont été créées.

Tempérament

Les Tégénaires sont généralement pacifiques, mais il y a quelques sujets rebelles qui refusent de se conformer aux coutumes de leur société. Ces insoumises sont vite identifiées et éliminées. Les Tégénaires savent qu'il y a un autre monde au pied de leur haute montagne, mais le terrain glissant ne leur permet pas d'y accéder. Celles qui ont essayé se sont tuées.

Valeurs

Leur société est hiérarchisée et chacune a son rôle à jouer pour assurer la survie de leur monde en vase clos. Les Tégénaires sont franches, travailleuses et efficaces. Elles croient qu'à leur mort, elles retournent vers leur créateur dans le ciel.

Vie de famille

Les Tégénaires ne conservent plus qu'un ou deux œufs de leurs pontes, leur territoire étant restreint. Cependant, les enfants survivants sont traités aux petits oignons par leurs parents qui veulent les voir prendre leur place un jour dans la société.

Loisirs

Même si leur monde n'est pas très vaste, les Tégénaires aiment la marche et elles peuvent faire le tour de leur piazza plusieurs fois par jour. Les plus jeunes adorent bavarder pendant des heures. On ne leur permet pas de se bagarrer, même par plaisir, car leurs dards sont mortels dès la naissance.

Nourriture

Elles se nourrissent des feuilles des plantes et des légumes qu'elles cultivent dans un grand jardin ainsi que des insectes qui y abondent.

Éducation

Ce sont les parents qui instruisent personnellement leurs enfants, sinon c'est un membre plus âgé de leur clan. On leur montre les belles manières et on leur raconte l'histoire connue de leur race.

Cependant, elles ignorent toujours comment elles sont arrivées sur leur montagne.

Coutumes et traditions

Les Tégénaires doivent prendre la relève de leurs parents lorsqu'ils meurent. Elles héritent alors de leurs titres, de leurs fonctions et de leur demeure.

Gouvernement et lois

Les Tégénaires ont un Conseil composé de dix aînées dont la seule tâche est de s'assurer que toutes les araignées respectent les coutumes et les usages. Elles agissent davantage comme un corps policier.

Commerce

Elles échangent des pépites d'or contre des humains. Pour le reste, étant isolées sur leur montagne, elles ne peuvent faire aucun autre commerce.

Informations importantes sur l'île des Araignées

Gouvernants : Le Conseil des dix.

Couleurs : aucune.

Blason : aucun.

Dieu ou déesse : aucun.

Chevaliers originaires de ce royaume : aucun.

La carte de l'Île des Lézards reste encore à être dessinée.

Hadrian.

L'île des Lézards

Géographie

L'Île des Lézards se situe dans l'océan séparant Enkidiev et Irianeth, à la hauteur du Royaume de Zénor.

Certaines de ses côtes sont rocheuses et difficiles d'accès, surtout du côté est, tandis que d'autres sont de belles plages sablonneuses.

La végétation est tropicale et les fruits y sont abondants.

Histoire

Les Lézards étaient un peuple pacifique jusqu'à l'invasion de leur territoire par les hommes-insectes qui les ont réduits en esclavage, les forçant à extraire de leurs montagnes le minerai rouge dont les Tanieth ont besoin pour survivre.

Pire encore, les déchets miniers se sont déversés dans leurs cours d'eau et ont empoisonné leurs femelles et leurs petits.

L'intervention du Chevalier Santo, qui a su identifier la source de l'empoisonnement et fabriquer un antidote, a radouci considérablement le caractère des hommes-lézards.

Tempérament

Autrefois pacifiques, les hommes-lézards sont devenus plus agressifs en raison des mauvais traitements reçus aux mains des Tanieths.

Valeurs

Les hommes-lézards sont loyaux et reconnaissants lorsqu'ils sont bien traités, mais peuvent devenir très dangereux lorsqu'on les attaque.

Ils veulent vivre une vie tranquille dans leur petit coin de paradis sans qu'on vienne les importuner.

Vie de famille

Tout comme les humains, les hommes-lézards forment des couples à vie et élèvent plusieurs couvées pendant leur vie. Les petits savent se débrouiller en sortant de l'œuf, mais ils demeurent près de leurs parents jusqu'à l'âge adulte.

Loisirs

Les enfants adorent se chamailler dans les petites vagues qui roulent sur leurs plages. Ils aiment aussi pourchasser les crustacés et les petits poissons en eaux peu profondes.

Les mères, quant à elles, se laissent chauffer au soleil sur la plage, gardant un œil attentif sur leur progéniture, pendant que les pères chassent plus sérieusement pour nourrir la famille.

NOURRITURE

Les hommes-lézards mangent du poisson, des crustacés et certaines plantes aquatiques.

ÉDUCATION

Les enfants apprennent de leurs parents tout ce qu'ils doivent savoir pour survivre, ainsi que les légendes de leurs ancêtres.

COUTUMES ET TRADITIONS

Les hommes-lézards attendent toujours le retour du grand seigneur du ciel, rôle que Kira fut forcée d'interpréter lors de l'unique expédition des Chevaliers sur leur île.

GOUVERNEMENT ET LOIS

Les hommes-lézards choisissent eux-mêmes un chef qui ne cède sa place qu'une fois sa vieillesse arrivée.

COMMERCE

Ils ont été forcés d'extraire de la roche rouge de leurs montagnes pour les hommes-insectes, mais on ne peut pas vraiment appeler cela du commerce, puisqu'ils n'ont rien reçu en retour.

INFORMATIONS IMPORTANTES SUR L'ÎLE DES LÉZARDS

Gouvernants : Kasserr.

Couleurs : aucune.

Blason : aucune.

Dieu ou déesse : le grand seigneur du ciel.

Chevaliers originaires de ce royaume : aucun.

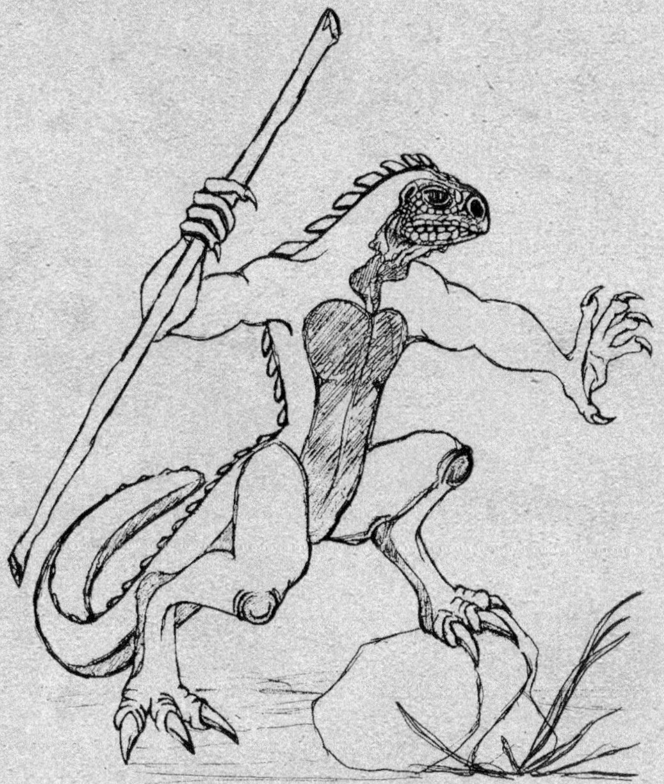

La carte de l'Empire d'Irianeth reste encore à être dessinée.

Hadrian.

L'Empire d'Irianeth

Géographie

Irianeth, également appelé l'Empire Noir, est un énorme continent situé de l'autre côté de l'océan, à l'ouest d'Enkidiev.

Le terrain est pierreux et la plage est composée de gros cailloux. Les dragons femelles y vivent.

Des montagnes s'étendent à perte de vue à l'est et au nord de la forteresse d'Amecareth. Elles sont probablement d'origine volcanique, car leurs contours sont déchiquetés.

Il n'y a aucune végétation, aucun arbre. Il y a plusieurs ruches à travers le royaume, dont Bombieth, qui abrite des pouponnières.

Cet empire est protégé par de la sorcellerie. Seuls des sorciers peuvent y accéder par magie.

La forteresse est creusée dans une énorme montagne sur le continent rocailleux conquis par les ancêtres d'Amecareth des milliers d'années auparavant.

Elle ne ressemble à aucune des forteresses humaines que l'on retrouve sur Enkidiev. Pas de grand hall, pas de chambres privées, pas de cuisines royales ou de salles d'audience. Il s'agit d'un labyrinthe aux couloirs sombres dans lesquels sont percées de petites pièces rondes comme des alvéoles sans fenêtres.

L'intérieur du château ressemble à une fourmilière. Les couloirs sont éclairés par des pierres mystérieuses émettant une lumière diffuse. Aucune torche ne brûle dans cet endroit, car les hommes-insectes craignent le feu.

Près de la forteresse, un large quai de pierre s'avance très loin dans la mer et des rochers déchiquetés bordent la plage de gros galets. Une porte secrète est aménagée dans les fondations de la forteresse.

L'entrée principale de la ruche est gardée par des soldats. À l'étage inférieur, il n'y a pas de travailleurs. Il y a également à cet étage, une caverne où la mer pénètre par des tunnels souterrains. Dans les étages supérieurs, une galerie débouche au sommet des montagnes. Une petite grotte sert de refuge à Sage.

Des couloirs souterrains relient la ruche aux pouponnières dans les falaises, là où sont élevés les guerriers d'élite. Amecareth dut les faire reconstruire après que Wellan les ait détruites lors du sauvetage de Kevin.

Dans l'alvéole royale, on retrouve un trône d'hématite et un énorme coffre où s'entassent les bijoux de l'Empereur. Amecareth y a fait construire une cage aux barreaux de fer à l'intention de son futur prisonnier : le porteur de lumière. Les visiteurs qui entrent dans cette salle doivent se prosterner devant l'Empereur et ils ne peuvent en sortir qu'à reculons.

Histoire

On ne sait rien de leur histoire, sinon qu'il y a toujours eu des empereurs assoiffés de pouvoir.

Tempérament

Les Tanieths sont à quatre-vingt-dix pour cent formés des insectes ouvriers qui nettoient la ruche, prennent soin des œufs de l'Empereur, creusent des tunnels et capturent des mammifères pour nourrir l'Empereur.

Le dix pour cent restant est formé des guerriers assassins qui obéissent à leurs ordres sans même réfléchir.

Valeurs

Ils n'en ont qu'une : le service. Leur vie entière n'a qu'un seul but, soit exécuter les fonctions qui leur ont été attribuées à la naissance.

Vie de famille

Le seul insecte qui a le pouvoir de se reproduire, c'est l'Empereur. Il a fécondé des milliers d'œufs depuis le début de son règne. Ses femelles s'occupent des œufs jusqu'à leur éclosion, puis confient les petits à des ouvriers qui leur apprennent à se nourrir et à effectuer leurs tâches.

Loisirs

Ils n'en ont aucun.

Nourriture

Seul l'Empereur et ses guerriers d'élite se nourrissent de chair sanglante. En général, les Tanieths mangent de la roche rouge.

Éducation

Les larves sont programmées dès leur éclosion à adopter un comportement précis et à effectuer un certain travail jusqu'à la fin de leur vie.

Coutumes et traditions

L'Empereur doit rendre grâce par des sacrifices sanglants au demi-dieu Listmeth chaque fois qu'il est victorieux.

Gouvernement et lois

L'Empereur est le seul maître des Tanieths auxquels il communique ses ordres par télépathie. Il se donne évidemment le droit de changer les règles et les lois comme bon lui semble.

Des émissaires assurent les relations entre Irianeth et les autres continents sur lesquels règne Amecareth. L'Empereur est entouré de conseillers et d'intendants. Ses principaux adjoints portent un manteau bleu.

Ces collaborateurs proviennent d'une caste à mi-chemin entre les ouvriers et les soldats. Amecareth possède un lien particulier avec eux. Il leur confie souvent des missions sans utiliser ses facultés télépathiques, de façon à ne pas alerter le peuple.

COMMERCE

L'Empereur ne fait pas de commerce. Il prend ce qu'il désire par la force.

INFORMATIONS IMPORTANTES SUR L'EMPIRE D'IRIANETH

Gouvernants : l'Empereur.

Couleurs : aucune.

Blason : aucun.

Dieu ou déesse : Listmeth.

Chevaliers originaires de ce royaume : aucun.

Deuxième partie
Les héros d'Enkidiev et d'autres contrées

Les Chevaliers d'Émeraude

Les premiers héros

Hadrian

Chevalier de la première invasion, il a aussi été Roi d'Argent. Ressuscité par Danalieth, il est de retour sur Enkidiev afin d'aider les Chevaliers d'Émeraude à repousser une fois de plus l'ennemi chez lui, et, surtout, pour freiner les ambitions de grandeur du Roi Onyx, son ancien lieutenant. Hadrian est un érudit qui préfère la plume à l'épée, mais qui sait fort bien se battre. Il est également un grand poète et il sait peindre et chanter.

Onyx

Chevalier de la première invasion, il a échappé à la colère du Magicien de Cristal lorsque ce dernier voulut reprendre les pouvoirs magiques qu'il lui avait accordés. Non seulement Onyx les a-t-il gardés, mais il les a fortifiés au contact de Nomar qui aurait bien aimé faire de lui son successeur. À sa mort à Espérita, Onyx utilisa un vieux sortilège et emprisonna son âme dans son épée, espérant qu'un jour, un de ses descendants trouverait cette arme. Ce descendant fut Sage. Ainsi l'âme du renégat put enfin se trouver un nouveau corps et quitter la cité de glace. Obligé de quitter le corps de Sage, Onyx se fusionna plus solidement à celui de Farrell, un autre de ses descendants, et attendit son heure en prenant soin des enfants qu'il avait eus avec le Chevalier Swan. Ce fut le peuple qui le proclama Roi d'Émeraude. Onyx est un bon père, un bon mari et un ami loyal, mais ses ambitions politiques sont démesurées.

Les sept premiers de l'Ordre ressuscitée

Wellan

Chevalier de la première génération, il naquit Prince du Royaume de Rubis. Wellan n'eut pas de maître, mais il forma plusieurs Écuyers, dont Bridgess, Cameron, Bailey, Volpel et Lassa. Plus grand que ses compagnons, Wellan fut un géant parmi les Chevaliers d'Émeraude. En plus de plaire à toutes les femmes, il fut un excellent stratège et un formidable combattant. Il maniait tous les types d'épées avec grâce et puissance. Wellan fut aussi un érudit. Il passa toute sa vie à lire et il connaissait tous les livres de la bibliothèque d'Émeraude. Très sensible, il n'aimait pas que les autres s'approchent de son cœur et il avait beaucoup de difficulté à parler de ses sentiments. Il prit sur lui de diriger l'Ordre, car il n'était écrit nulle part que les Chevaliers devaient avoir un chef. Il épousa le Chevalier Bridgess, mais il eut ses enfants à l'extérieur de son mariage, soit un fils, Dylan, de la Reine Fan de Shola, et une fille, Jenifael, de la déesse Theandras. Il perdit la vie aux mains de l'ennemi.

Bergeau

Chevalier de la première génération, il est né dans le Désert, de parents exilés pour leurs crimes. Bergeau n'eut pas de maître, mais il forma plusieurs Écuyers, dont Buchanan, Curtis, Arca, Kumitz, Bianchi et Lianan. Bergeau est le plus fort et le plus musclé de tous les Chevaliers d'Émeraude. Prompt, il dit absolument tout ce qu'il pense, mais jamais il ne se montre ouvertement méchant. Il aime la vie et les grandes fêtes. Il a épousé Catania de Zénor qui lui a donné de nombreux enfants, dont Broderika, Proka, Kiefer, Danitza et Luca.

Chloé

Femme Chevalier de la première génération, elle est née Princesse du Royaume de Diamant. Chloé n'eut pas de maître, mais elle forma plusieurs Écuyers, dont Wanda, Ariane, Jana, Maïwen et Coralie. Chloé est menue, mais très vigoureuse. Elle est la seule femme de la première génération, alors elle a appris très tôt à se défendre. Elle sait manier l'épée aussi bien que ses frères, mais son premier réflexe n'est pas l'agression. Elle préfère analyser la situation avant de tenter d'y apporter une solution. Elle a épousé le Chevalier Dempsey, mais le couple a choisi de ne pas avoir d'enfants avant la fin de la guerre.

DEMPSEY

Chevalier de la première génération, il est né Prince du Royaume de Béryl. Dempsey n'eut pas de maître, mais il forma plusieurs Écuyers, dont Kevin, Colville, Kowal, Atall et Indya. Dempsey est silencieux et très prudent. Il ne parle jamais de ses sentiments. En raison de la rigueur de ses premières années de vie, il a conservé son sens pratique et a beaucoup de mal à se laisser aller. Il est un excellent pisteur et un excellent chasseur. Il a épousé le Chevalier Chloé, mais le couple a choisi de ne pas avoir d'enfants avant la fin de la guerre.

FALCON

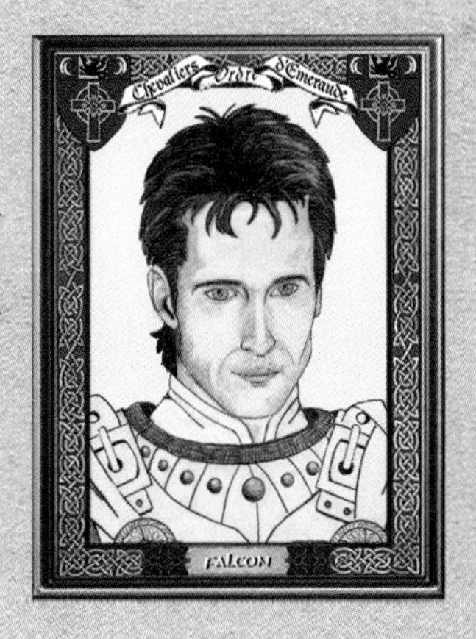

Chevalier de la première génération, il est né au Royaume de Turquoise. Falcon n'eut pas de maître, mais il forma plusieurs Écuyers, dont Wimme, Murray, Offman, Yann et Alex. Même s'il est arrivé très jeune à Émeraude, Falcon a été traumatisé par les contes fantastiques de son village de Turquoise. Il en a gardé une certaine crainte de l'obscurité. Il n'aime pas se retrouver seul. Agile, il est le plus rapide des escrimeurs de l'Ordre et même Wellan ne peut le déjouer. Romantique jusqu'au bout des ongles, le seul vœu de Falcon est de mettre rapidement fin à la guerre afin de passer tout son temps avec sa famille. Il a épousé le Chevalier Wanda qui lui a donné un fils, Nartrach et une fille, Aurélys.

JASSON

Chevalier de la première génération, il est né au Royaume de Perle. Jasson n'eut pas de maître, mais il forma plusieurs Écuyers, dont Nogait, Morgan, Lornan, Zerrouk, Hiall et Nikelai. Jasson est le plus insouciant de tous les Chevaliers d'Émeraude. Il n'a jamais vraiment pris la guerre au sérieux et veut juste en finir au plus vite. Il aime bien s'amuser aux dépens des compagnons de sa génération, surtout Wellan, qu'il admire secrètement. Jasson n'est pas un puissant combattant. Il se fie davantage à son puissant pouvoir de lévitation et aux rayons incandescents de ses mains pour vaincre ses ennemis. Jasson a épousé Sanya d'Émeraude qui lui a donné un fils, Liam, et une fille, Katil. À la mort de Wellan, Jasson quitta l'Ordre pour se réfugier dans la Forêt Interdite avec sa famille.

SANTO

Chevalier de la première génération, il est né Prince du Royaume de Fal. Santo n'eut pas de maître, mais il forma plusieurs Écuyers, dont Kerns, Hettrick, Herrior, Chesley, Mann et Shangwi. Santo n'est pas agressif et il déteste la guerre, mais il fait preuve d'une force surprenante lorsqu'il est obligé de se battre. Il préfère cependant soigner les blessures de ses compagnons sur un champ de bataille. Il a de belles qualités de négociateur et il est particulièrement sensible à l'humeur et aux émotions des autres. Il sait déchiffrer les méandres du cœur et trouver les bons mots pour apaiser ceux qui souffrent. Le Magicien de Cristal a augmenté le pouvoir de guérison de ses mains durant la mission sur l'Île des Lézards. Santo se sert d'ailleurs de ce don pour soigner les malades partout où il passe. Sa grande sensibilité lui fait écrire de doux poèmes et de belles chansons. Il sait jouer de la harpe et s'en sert pour s'accompagner. Il a épousé Yanné d'Espérita qui lui a donné un fils, Famire.

TOUS LES AUTRES

ADA

Femme Chevalier de la cinquième génération, elle est née au Royaume de Fal. Elle fut l'Écuyer de Winks et le maître de Loreli. Comme toutes les femmes de ce royaume gorgé de soleil, elle est sensuelle et souriante, mais c'est une apparence trompeuse. Ada est une justicière dans l'âme qui manie l'épée avec beaucoup de force et d'agilité.

AIDAN

Chevalier de la cinquième génération, il est né au Royaume de Turquoise. Il fut l'Écuyer de Zerrouk et le maître de Cilian. Tout aussi superstitieux que le Chevalier Falcon, Aidan préfère travailler en groupe plutôt que seul. Il est discipliné et il a beaucoup d'endurance.

AKARINA

Femme Chevalier de la sixième génération, elle est née au Royaume de Cristal. Elle fut l'Écuyer de Kagan et n'eut pas d'Écuyer elle-même. Akarina est prompte et fonceuse. Elle se porte toujours volontaire pour les missions dangereuses.

AKERS

Chevalier de la quatrième génération, il est né au Royaume de Béryl. Il fut l'Écuyer de Pencer et le maître de Kilimiris. Akers est silencieux et très fiable. Il a appris très rapidement à se servir d'un arc.

ALDIAN
Chevalier de la sixième génération, il est né au Royaume de Perle. Il fut l'Écuyer de Carlo et n'eut pas d'Écuyer lui-même. Aldian est docile et attentif. On n'a jamais besoin de lui répéter un ordre.

ALEX
Chevalier de la sixième génération, il est né au Royaume d'Argent. Il fut l'Écuyer de Falcon et n'eut pas d'Écuyer lui-même. Alex est volontaire et combatif. Il dit toujours ce qu'il pense et bien souvent son jugement est juste.

ALI
Chevalier de la sixième génération, elle est née au Royaume de Zénor. Elle fut l'Écuyer de Winks et n'eut aucun Écuyer elle-même. Ali est vive et rusée. On ne peut jamais la prendre de court.

ALISEN
Chevalier de la quatrième génération, il est né au Royaume de Zénor. Il fut l'Écuyer de Pencer et le maître de Vassilios. Alisen est calme et patient. On peut toujours compter sur lui.

ALLADO
Chevalier de la sixième génération, il est né au Royaume de Fal. Il fut l'Écuyer de Callaan et n'eut jamais d'Écuyer lui-même. Allado est espiègle à ses heures, mais il sait reprendre son sérieux au combat.

ALWIN
Chevalier de la cinquième génération, il est né au Royaume de Diamant. Il fut l'Écuyer de Yann et le maître de Falide. Alwin est audacieux, mais lorsque la situation l'exige, il sait faire preuve de prudence.

AMAX
Chevalier de la quatrième génération, il est né au Royaume de Fal. Il fut l'Écuyer de Wimme et le maître de Lavann et de Shuhei. Amax est aimable et généreux. Rien n'est jamais trop difficile pour lui.

AMBRE
Femme Chevalier de la sixième génération, elle est née au Royaume d'Émeraude. Elle fut l'Écuyer de Wanda et n'eut aucun Écuyer elle-même. Ambre est conciliante et patiente. Elle suit ses ordres sans jamais répliquer.

ANALIA
Femme Chevalier de la sixième génération, elle est née au Royaume d'Émeraude. Elle fut l'Écuyer de Camilla et n'eut aucun Écuyer elle-même. Analia est gentille, mais féroce au combat.

ANDARANIEL
Femme Chevalier de la sixième génération, elle est née au Royaume des Elfes. Elle fut l'Écuyer de Jana et n'eut aucun Écuyer elle-même. Andaraniel est agile et rapide comme l'éclair. Elle est si silencieuse qu'on ne sait même pas qu'elle est là.

ANTON
Chevalier de la sixième génération, il est né au Royaume de Turquoise. Il fut l'Écuyer de Zerrouk et n'eut aucun Écuyer lui-même. Anton est adroit au tir à l'arc et fougueux au combat.

ARCA
Chevalier de la quatrième génération, il est né au Royaume des Elfes. Il fut l'Écuyer de Bergeau et le maître de Tazyel. Arca est méthodique et fiable. On peut lui confier n'importe quelle tâche en sachant qu'il s'en acquittera avec brio.

ARIANE
Femme Chevalier de la troisième génération, elle est née au Royaume des Fées. Elle fut l'Écuyer de Chloé et le maître de Winks, de Kisilin et d'Odélie. Ariane est très belle et toujours souriante, mais confrontée à l'ennemi, elle se transforme en véritable ouragan. Elle a épousé le capitaine Kardey d'Opale. Le couple a une jolie fillette prénommée Améliane dont s'occupe son père.

ARMIL
Chevalier de la sixième génération, il est né au Royaume d'Émeraude. Il fut l'Écuyer de Stone et n'eut aucun Écuyer lui-même. Armil était sympathique et n'attaquait l'ennemi que lorsque son chef l'ordonnait. Il avait hâte que finisse la guerre. Il est tombé au combat sur les plages de Zénor lors des derniers affrontements avec les scarabées argentés de l'Empereur.

Atall

Chevalier de la quatrième génération, il est né au Royaume de Jade. Il fut l'Écuyer de Dempsey et le maître de Polass et d'Ivanko. Atall est persévérant et tenace. Il est incapable de s'arrêter avant d'avoir fini la tâche qu'on lui a confiée.

Atalée

Femme Chevalier de la sixième génération, elle est née au Royaume d'Opale. Elle fut l'Écuyer de Bridgess et n'eut aucun Écuyer elle-même. Atalée est rigoureuse et audacieuse comme toutes les femmes nées à Opale.

Aurelle

Chevalier de la sixième génération, il est né au Royaume de Béryl. Il fut l'Écuyer de Salmo et n'eut aucun Écuyer lui-même. Aurelle est rusé et plein d'entrain. Comme tous ses compagnons, il rêve d'une ère de paix sur le continent.

Bailey

Chevalier de la quatrième génération, il est né au Royaume de Béryl. Il fut l'Écuyer de Wellan et le maître de Dansen et de Cidia. Bailey est bienveillant et très sociable. Lorsqu'il joue au héros, il ne le fait pas exprès. C'est dans sa nature. Il éprouve de tendres sentiments pour son compagnon Volpel.

Bankston

Chevalier de la cinquième génération, il est né au Royaume de Perle. Il fut l'Écuyer de Hettrick et le maître de Daviel. Bankston est fonceur et un brin imprudent. Il est important de le garder à l'œil.

Bansal

Chevalier de la sixième génération, il est né au Royaume de Jade. Il fut l'Écuyer de Heilder et n'eut aucun Écuyer lui-même. Bansal est enthousiaste et optimiste. Il encourage souvent les siens.

Bathide

Chevalier de la sixième génération, il est né au Royaume de Cristal. Il fut l'Écuyer de Milos et n'eut aucun Écuyer lui-même. Bathide est indulgent et attentionné. Il se préoccupe de la santé et du bien-être de ses compagnons avant de penser à lui.

Bélonn

Chevalier de la sixième génération, il est né au Royaume d'Opale. Il fut l'Écuyer de Daiklan et n'eut aucun Écuyer lui-même. Bélonn est aventureux. Il a du mal à freiner ses élans d'ardeur sur le champ de bataille.

BENSON

Chevalier de la cinquième génération, il est né au Royaume de Rubis. Il fut l'Écuyer de Sherman et le maître de Maryne. Benson est appliqué et tolérant. Il réfléchit toujours avant de faire un geste.

BIANCHI

Chevalier de la quatrième génération, il est né au Royaume des Elfes. Il fut l'Écuyer de Bergeau et le maître de Kelly et de Uwhan. Bianchi est alerte et rapide. Rien ne lui échappe.

BOTTI

Chevalier de la quatrième génération, il est né au Royaume des Elfes. Il fut l'Écuyer de Nogait et le maître de Phelan et de Zoran. Botti est plutôt flamboyant pour un Elfe, sans doute parce qu'il a été contaminé par Nogait.

BRANNOCK

Chevalier de la quatrième génération, il est né au Royaume de Jade. Il fut l'Écuyer de Corbin et le maître de Nova. Brannock est courageux et très vaillant. On peut toujours compter sur lui.

BRENNAN

Chevalier de la troisième génération, il est né au Royaume de Béryl. Il fut l'Écuyer de Wimme et le maître de Jonas et de Chariff. Brennan est méticuleux. Il ne laisse jamais rien au hasard.

BRIANNA

Femme Chevalier de la sixième génération, elle est née au Royaume de Béryl. Elle fut l'Écuyer de Sheehy et n'eut aucun Écuyer elle-même. Brianna est consciencieuse et sérieuse. Pour elle, la victoire est surtout une question de stratégie. Elle a une très grande admiration pour Wellan.

BRIDGESS

Femme Chevalier de la deuxième génération, elle est née Princesse de Perle. Elle fut l'Écuyer de Wellan et le maître de Swan, de Gabrelle, de Yamina, de Kira et d'Atalée. Bridgess partage beaucoup de traits de caractère avec son héros Wellan qu'elle a d'ailleurs épousé. Elle est un excellent stratège, en plus d'être extrêmement courageuse. Elle est toutefois moins pessimiste que Wellan. Elle a accepté avec joie d'élever Jenifael comme sa propre fille, mais n'a jamais ressenti de fibre maternelle pour Dylan.

BRIT

Chevalier de la sixième génération, il est né au Royaume d'Argent. Il fut l'Écuyer de Dienelt et n'eut aucun Écuyer lui-même. Brit est toujours souriant, peu importe les événements.

BUCHANAN

Chevalier de la deuxième génération, il est né au Royaume de Cristal. Il fut l'Écuyer de Bergeau et le maître de Derek, de Hiall et de Bianchi. Courageux, mais aussi téméraire, il fonçait sans hésitation sur l'ennemi. Il fut le premier des Chevaliers à périr aux mains des hommes-lézards, auquel moment ses deux derniers Écuyers furent confiés à ses compagnons.

CALLAAN

Chevalier de la quatrième génération, il est né au Royaume de Rubis. Il fut l'Écuyer de Wimme et le maître de Linney et d'Allado. Callaan est dévoué et très habile à l'épée. Il ne manque jamais une cible à la lance.

CAMERON

Il aurait été Chevalier de la deuxième génération, il est né au Royaume de Diamant. Il fut l'Écuyer de Wellan, mais trouva la mort aux mains d'Asbeth avant d'avoir pu être adoubé. Cameron était calme et persévérant. Il manque beaucoup à Wellan.

Camilla
Femme Chevalier de la cinquième génération, elle est née au Royaume de Cristal. Elle fut l'Écuyer de Joslove et le maître d'Analia. Camilla est enthousiaste et avenante. Tout comme Chloé, elle a tendance à materner ses compagnons.

Candiell
Chevalier de la quatrième génération, il est né au Royaume de Béryl. Il fut l'Écuyer de Hettrick et n'eut pas le temps d'avoir d'Écuyer. Il fut tué par Asbeth lors d'une attaque sournoise au Royaume d'Argent. Candiell était obéissant et hardi. Son commandant Falcon pouvait toujours se fier sur lui.

Carlo
Chevalier de la quatrième génération, il est né au Royaume de Fal. Il fut l'Écuyer de Milos et le maître d'Aldian. Carlo est chaleureux et amical. Il a le don de rassurer les plus jeunes lorsqu'ils sont effrayés.

Cassildey
Chevalier de la sixième génération, il est né au Royaume d'Émeraude. Il fut l'Écuyer de Sage, puis fut pris en charge par Wellan après l'enlèvement de Sage. Il n'eut aucun Écuyer lui-même. Cassildey était impulsif et égocentrique, défauts qu'il a bien du mal à corriger. Mais Wellan ne désespérait pas d'en faire un vrai Chevalier. Il est tombé au combat sur les plages de Zénor lors des derniers affrontements avec les scarabées argentés de l'Empereur.

Célan
Chevalier de la sixième génération, il est né au Royaume de Jade. Il fut l'Écuyer de Kerns et n'eut aucun Écuyer lui-même. Célan est charmant à outrance. Il fait déjà battre le cœur des jeunes filles qui croisent sa route.

Chariff
Chevalier de la sixième génération, il est né au Royaume de Fal. Il fut l'Écuyer de Brennan et n'eut aucun Écuyer lui-même. Chariff est espiègle. Il aime jouer des tours à ses compagnons. Mais il sait aussi être sérieux lorsque la situation l'exige.

Chesley
Chevalier de la quatrième génération, il est né au Royaume de Cristal. Il fut l'Écuyer de Santo et le maître de Dunkel et de Zandor. Chesley est sociable et ouvert. Il n'hésite jamais à tendre la main aux autres.

Christer

Chevalier de la sixième génération, il est né au Royaume de Perle. Il fut l'Écuyer de Sherman et n'eut aucun Écuyer lui-même. Christer était entreprenant et courageux. Il était toujours le premier à porter secours à ses compagnons en difficulté. Il est tombé au combat sur les plages de Zénor lors des derniers affrontements avec les scarabées argentés de l'Empereur.

Cidia

Chevalier de la sixième génération, il est né au Royaume de Cristal. Il fut l'Écuyer de Bailey et n'eut aucun Écuyer lui-même. Cidia est intense et rapide. S'il le pouvait, il se rendrait à Irianeth tout seul pour affronter l'Empereur !

Cilian

Chevalier de la sixième génération, il est né au Royaume de Rubis. Il fut l'Écuyer d'Aidan et n'eut aucun Écuyer lui-même. Cilian est redoutable à l'épée, car son bras est puissant.

Colville

Chevalier de la troisième génération, il est né au Royaume de Jade. Il fut l'Écuyer de Dempsey et le maître de Silvess, de Prorok, de Stone et de Mercass. Colville est calme et loyal, mais il peut être espiègle à ses heures.

Coralie

Femme Chevalier de la sixième génération, elle est née au Royaume de Diamant. Elle fut l'Écuyer de Chloé et n'eut aucun Écuyer elle-même. Coralie est gracieuse et affable. Elle aime tout le monde sans distinction.

Corbin

Chevalier de la troisième génération, il est né au Royaume de Fal. Il fut l'Écuyer de Nogait et le maître de Randan, de Brannock, de Harrison et de Norikoff. Corbin est farceur, mais jamais méchant. Il ne laisse jamais passer une occasion de taquiner ses compagnons.

CRISTELLE

Femme Chevalier de la sixième génération, elle est née au Royaume de Zénor. Elle fut l'Écuyer d'Ellie et n'eut aucun Écuyer elle-même. Cristelle est fantaisiste et chaleureuse. Elle a une imagination fertile et sait captiver les enfants lorsqu'elle leur raconte une histoire.

CURRI

Chevalier de la quatrième génération, il est né au Royaume de Diamant. Il fut l'Écuyer de Kevin et n'eut pas le temps d'avoir d'Écuyer puisqu'il fut tué par Sélace avant de pouvoir être adoubé. Curri était délicat et gentil. Il avait l'habitude de venir en aide à ses compagnons lorsqu'ils étaient en danger.

CURTIS

Chevalier de la troisième génération, il est né au Royaume de Zénor. Il fut l'Écuyer de Bergeau et le maître de Davis, de Dienelt, de Nurick et de Zion. Curtis est puissant et imperturbable sur le champ de bataille, comme son ancien maître.

CYRIL

Chevalier de la sixième génération, il est né au Royaume de Perle. Il fut l'Écuyer de Volpel et n'eut aucun Écuyer lui-même. Cyril est un boute-en-train. Il a une très belle voix et une mémoire phénoménale.

DAIKLAN

Chevalier de la quatrième génération, il est né au Royaume de Fal. Il fut l'Écuyer de Derek et le maître de Bélonn. Daiklan est tranquille et dévoué. Il a appris de son maître Derek à être davantage à l'écoute de la nature.

DALVI

Chevalier de la sixième génération, il est né au Royaume de Turquoise. Il fut l'Écuyer de Mann et n'eut aucun Écuyer lui-même. Dalvi est très sensible. Il s'intéresse davantage aux pouvoirs de guérison qu'aux pouvoirs destructeurs de ses mains.

Dansen

Chevalier de la cinquième génération, il est né au Royaume d'Opale. Il fut l'Écuyer de Bailey et le maître de Mérine. Dansen est tenace et opiniâtre. Il ne change pas facilement d'idée.

Daviel

Chevalier de la sixième génération, il est né au Royaume des Elfes. Il fut l'Écuyer de Bankston et n'eut aucun Écuyer lui-même. Daviel est remuant et plein d'entrain. Il est parmi les premiers à se lancer au combat.

Davis

Chevalier de la quatrième génération, il est né au Royaume de Béryl. Il fut l'Écuyer de Curtis et le maître de Donatey. Davis est vaillant et audacieux. Il n'accepte pas la défaite.

Dean

Chevalier de la cinquième génération, il est né au Royaume de Diamant. Il fut l'Écuyer de Kumitz et le maître d'Osan. Dean est infatigable. À la fin d'un combat, il est encore prêt à se battre.

Deleska

Chevalier de la sixième génération, il est né au Royaume de Perle. Il fut l'Écuyer de Herrior et n'eut aucun Écuyer. Deleska est indulgent et tolérant. Il préférerait négocier avec l'ennemi plutôt que de l'affronter.

Derek

Chevalier de la troisième génération, il est né au Royaume des Elfes. Il fut l'Écuyer de Buchanan et le maître de Daiklan, de Kruse, de Radama et de Qilliang. Il a épousé la Fée azurée Miyaji. Derek est consciencieux et prévenant. Il donnerait sa vie pour ses compagnons d'armes.

Dianjin

Chevalier de la sixième génération, il est né au Royaume de Jade. Il fut l'Écuyer de Nogait et n'eut aucun Écuyer. Dianjin est remuant et plutôt casse-cou. Il n'a peur de rien.

Dienelt

Chevalier de la quatrième génération, il est né au Royaume des Elfes. Il fut l'Écuyer de Curtis et le maître de Brit. Dienelt est souple et endurant. On ne l'entend jamais se plaindre.

Dillawn

Femme Chevalier de la quatrième génération, elle est née au Royaume de Jade. Elle fut l'Écuyer de Swan et le maître de Drew et de Sora. Dillawn est énergique et passionnée. Même si elle se retrouvait toute seule sur le champ de bataille, elle continuerait de se battre.

Dollyn

Chevalier de la sixième génération, il est né au Royaume de Béryl. Il fut l'Écuyer de Radama et n'eut pas d'Écuyer. Dollyn est éloquent et prudent. Il aime écrire des poèmes en secret.

Domenec

Chevalier de la sixième génération, il est né au Royaume de Turquoise. Il fut l'Écuyer de Francis et n'eut aucun Écuyer. Domenec est pacifique et patient. Il est capable de rester immobile pendant des heures à guetter l'ennemi.

Donatey

Chevalier de la sixième génération, il est né au Royaume d'Opale. Il fut l'Écuyer de Davis et n'eut aucun Écuyer. Donatey est fonceur et extrêmement adroit. Il manque rarement ses cibles.

Drew

Femme Chevalier de la cinquième génération, elle est née au Royaume de Béryl. Elle fut l'Écuyer de Dillawn et le maître de Saphora. Drew est endurante et minutieuse. Elle excelle tout particulièrement dans le décryptage de textes anciens.

Drewry

Chevalier de la quatrième génération, il est né au Royaume d'Opale. Il fut l'Écuyer de Brennan et le maître de Parise. Drewry est attentif et appliqué. Il prend le temps de réfléchir avant de prendre une décision.

Dunkel

Chevalier de la cinquième génération, il est né au Royaume de Perle. Il fut l'Écuyer de Chesley et le maître de Néda. Dunkel est avenant et chaleureux. Il est parmi les premiers à entrer dans la danse lors des grandes fêtes.

Dyksta
Chevalier de la quatrième génération, il est né au Royaume d'Argent. Il fut l'Écuyer de Murray et le maître de Myung. Dyksta est audacieux et habile, mais il lui arrive de faire preuve d'un peu trop de témérité.

Edessa
Chevalier de la sixième génération, il est né au Royaume d'Opale. Il fut l'Écuyer de Fabrice et n'eut aucun Écuyer. Edessa est tenace et parfois imprudent. Il aime tout particulièrement le combat singulier.

Édul
Chevalier de la sixième génération, il est né au Royaume d'Émeraude. Il fut l'Écuyer de Fayden et n'eut pas le temps d'avoir d'Écuyer puisqu'il a été tué au combat avant d'avoir pu être adoubé. Il était indulgent et sociable et priait souvent pour que les hostilités cessent.

Ellie
Femme Chevalier de la cinquième génération, elle est née au Royaume d'Émeraude. Elle fut l'Écuyer de Robyn et le maître de Cristelle. Ellie est pétillante et elle dit tout ce qu'elle pense.

Émélianne
Femme Chevalier de la sixième génération, elle est née au Royaume d'Argent. Elle fut l'Écuyer de Yamina et n'eut aucun Écuyer. Émélianne est souriante et son optimisme est contagieux.

Esko
Chevalier de la sixième génération, il est né au Royaume de Fal. Il fut l'Écuyer de Kelly et n'eut aucun Écuyer. Esko est intrépide et frondeur. Il se fie à sa bonne étoile lorsqu'il se lance dans les rangs ennemis.

Fabrice
Chevalier de la quatrième génération, il est né au Royaume d'Opale. Il fut l'Écuyer de Milos et le maître de Edessa. Fabrice est paisible et confiant. Personne n'est aussi perspicace que lui.

Falide
Chevalier de la sixième génération, il est né au Royaume de Rubis. Il fut l'Écuyer de Alwin et n'eut aucun Écuyer. Falide est aventureux et téméraire. Il est aussi le boute-en-train de sa troupe.

Fallon
Femme Chevalier de la quatrième génération, elle est née au Royaume d'Argent. Elle fut l'Écuyer de Kagan et n'eut pas le temps d'avoir d'Écuyer. Elle fut tuée par Asbeth lors d'une attaque sournoise au Royaume d'Argent. Fallon était gentille et espiègle. Tout le monde l'aimait bien.

Fanelle
Femme Chevalier de la sixième génération, elle est née au Royaume d'Émeraude. Elle fut l'Écuyer de Mara et n'eut aucun Écuyer. Fanelle est persuasive et passionnée. Il lui arrive d'éclater en sanglots lorsque Santo joue une chanson triste.

Fayden
Chevalier de la cinquième génération, il est né au Royaume de Zénor. Il fut l'Écuyer de Offman et le maître d'Édul. Il a été tué par les imagos qui ont envahi le continent. Fayden était plein d'entrain et il la communiquait facilement à ses compagnons.

Fideka
Chevalier de la sixième génération, il est né au Royaume de Perle. Il fut l'Écuyer de Rupert et n'eut aucun Écuyer. Fideka est fier et consciencieux. Il prend son rôle de protecteur d'Enkidiev au sérieux.

Filip
Chevalier de la sixième génération, il est né au Royaume de Diamant. Il fut l'Écuyer de Wimme et n'eut aucun Écuyer. Filip est enjoué et très émotif. Il lui arrive même de garder ses pensées pour lui seul, car il ne veut blesser personne.

Fossell
Chevalier de la quatrième génération, il est né au Royaume de Zénor. Il fut l'Écuyer de Nogait et le maître de Francis et de Ryun. Fossell est un bon vivant. Il est vaillant et a le don de dénouer les situations tendues.

Francis
Chevalier de la cinquième génération, il est né au Royaume de Diamant. Il fut l'Écuyer de Fossell et le maître de Domenec. Francis est confiant et quelques fois tranchant. Il voit clairement les choses et ne se gêne pas pour les dire telles qu'elles sont.

Franklin
Chevalier de la cinquième génération, il est né au Royaume de Diamant. Il fut l'Écuyer de Lornan et le maître de Madul. Franklin est imposant physiquement, mais il a le cœur sensible. Il aime tout particulièrement les animaux.

Gabrelle
Femme Chevalier de la quatrième génération, elle est née au Royaume de Perle. Elle fut l'Écuyer de Bridgess et le maître de Terri et de Tara. Gabrelle est enjouée et charmante à souhait. Cependant, sur le champ de bataille, elle ne fait pas de quartier.

Gibbs
Chevalier de la cinquième génération, il est né au Royaume de Béryl. Il fut l'Écuyer de Pencer et le maître de Symilde. Gibbs est fiable et minutieux. Il est capable d'emmagasiner un nombre incroyable de petits détails.

Goran
Chevalier de la sixième génération, il est né au Royaume de Béryl. Il fut l'Écuyer de Hiall et n'eut aucun Écuyer. Goran est amical et silencieux. Il est très difficile de savoir ce qu'il ressent.

Harrison
Chevalier de la cinquième génération, il est né au Royaume de Perle. Il fut l'Écuyer de Corbin et le maître de Syrian. Harrison est opiniâtre. Il faut avoir de bons arguments pour le faire changer d'avis.

Haspel
Chevalier de la sixième génération, il est né au Royaume de Turquoise. Il fut l'Écuyer de Kowal et n'eut aucun Écuyer. Haspel est fantaisiste et il voit des esprits partout. Heureusement, au combat, il arrive à oublier toutes les superstitions de son enfance.

Heilder
Chevalier de la quatrième génération, il est né au Royaume de Diamant. Il fut l'Écuyer de Morgan et le maître de Bansal. Heilder est un soldat acharné qui ne s'arrête que lorsque tous les cadavres de ses adversaires ont été brûlés.

Héliante
Chevalier de la sixième génération, il est né au Royaume de Rubis. Il fut l'Écuyer de Jonas et n'eut aucun Écuyer. Héliante est volontaire et même zélé. Il se porte volontaire même pour les tâches les plus difficiles.

Herrior
Chevalier de la quatrième génération, il est né au Royaume d'Argent. Il fut l'Écuyer de Santo et le maître de Moher et de Deleska. Herrior est doux comme un agneau. Il sait que les Chevaliers n'ont pas le choix et qu'ils doivent repousser l'envahisseur. Mais il préférerait de loin guérir les malades dans les villages au lieu de se battre.

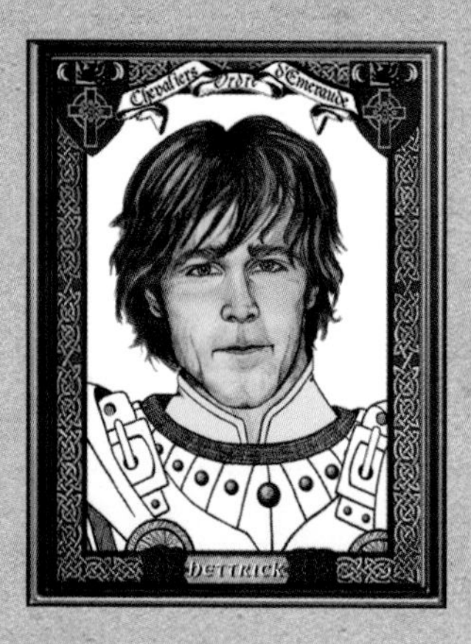

Hettrick

Chevalier de la troisième génération, il est né au Royaume de Turquoise. Il fut l'Écuyer de Santo et le maître d'Izzly, de Candiell, de Bankston et de Jinan. Hettrick est très patient. Personne ne fait preuve de plus d'empathie que lui.

Hiall

Chevalier de la quatrième génération, il est né au Royaume de Perle. Il fut l'Écuyer de Buchanan et de Jasson et le maître de Yancy, de Jukos et de Goran. Hiall est un redoutable escrimeur, car il sait autant se servir de sa force que de sa ruse.

Honsu

Chevalier de la cinquième génération, il est né au Royaume de Jade. Il fut l'Écuyer de Milos et le maître de Tidian. Honsu était très digne et savait se battre sans jamais se fatiguer. Il est tombé au combat sur les plages de Zénor lors des derniers affrontements avec les scarabées argentés de l'Empereur.

Horacio

Chevalier de la sixième génération, il est né au Royaume de Fal. Il fut l'Écuyer de Zane et n'eut aucun Écuyer. Horacio est cordial et un brin irréaliste. C'est un grand rêveur qui préférerait passer sa vie à regarder les étoiles plutôt qu'à se battre.

Indya

Chevalier de la sixième génération, il est né au Royaume de Cristal. Il fut l'Écuyer de Dempsey et n'eut aucun Écuyer. Indya est honnête et bon avec simplicité. Il pourrait même rendre service à l'ennemi !

Ivanko

Chevalier de la sixième génération, il est né au Royaume de Zénor. Il fut l'Écuyer d'Atall et n'eut aucun Écuyer. Ivanko est robuste et redoutable. On y pense à deux fois avant de l'affronter en combat singulier, même pour le plaisir.

Ivy

Femme Chevalier de la cinquième génération, elle est née au Royaume d'Émeraude. Elle fut l'Écuyer de Kisilin et le maître de Julia. Malgré sa petite taille, elle n'a pas froid aux yeux. C'est un véritable ouragan sur le champ de bataille.

IZZLY

Chevalier de la quatrième génération, il est né au Royaume d'Opale. Il fut l'Écuyer de Hettrick et le maître d'Orlando. Izzly est tranchant et il a très peu de patience.

JAAKE

Chevalier de la sixième génération, il est né au Royaume de Jade. Il fut l'Écuyer de Phelan et n'eut aucun Écuyer. Jaake est mystérieux et acharné quand il veut quelque chose. Personne ne lui résiste longtemps.

JAKOBE

Chevalier de la sixième génération, il est né au Royaume de Béryl. Il fut l'Écuyer de Madier et n'eut aucun Écuyer. Jakobe est fort et endurant. Il ne se plaint jamais.

JANA

Femme Chevalier de la quatrième génération, elle est née au Royaume de Perle. Elle fut l'Écuyer de Chloé et le maître d'Andaraniel. Elle a épousé le Chevalier Kerns. Jana est digne et rigoureuse. Elle aimerait que l'Ordre compte plus de femmes.

JAROMIR

Chevalier de la sixième génération, il est né au Royaume de Zénor. Il fut l'Écuyer d'Offman et n'eut aucun Écuyer. Jaromir est énergique et provocant. Il a le don d'éperonner ses compagnons lorsqu'ils sont fatigués.

JENIFAEL

Chevalier de la sixième génération, elle est née au Royaume des Elfes. Elle fut l'Écuyer de Swan et n'eut aucun Écuyer. Elle épousera Hadrian d'Argent. Malgré son ascendance céleste, Jenifael est un soldat obéissant et fiable. Elle veut plus que tout au monde faire honneur à ses parents qui sont des héros parmi les Chevaliers.

JINANN

Chevalier de la sixième génération, il est né au Royaume de Jade. Il fut l'Écuyer de Hettrick et n'eut aucun Écuyer. Jinann est sensible et émotif. Il sait mieux que quiconque interpréter le moindre changement dans son environnement.

JOLAIN

Chevalier de la sixième génération, il est né au Royaume de Rubis. Il fut l'Écuyer de Polass et n'eut aucun Écuyer. Jolain est fonceur et enthousiaste. C'est également un excellent chasseur.

JONAS

Chevalier de la cinquième génération, il est né au Royaume de Rubis. Il fut l'Écuyer de Brennan et le maître de Héliante. Jonas est vigoureux et inébranlable. Il ne discute jamais les ordres.

JOSLOVE

Femme Chevalier de la quatrième génération, elle est née au Royaume d'Argent. Elle fut l'Écuyer de Wanda et le maître de Camilla et de Ranayelle. Joslove est dévouée et persévérante. Elle va toujours au bout de ses forces.

JUKOS

Chevalier de la sixième génération, il est né au Royaume de Rubis. Il fut l'Écuyer de Hiall et n'eut aucun Écuyer. Jukos était fiable et sérieux, jamais il ne discutait les ordres. Il est tombé au combat sur les plages de Zénor lors des derniers affrontements avec les scarabées argentés de l'Empereur.

JULIA

Femme Chevalier de la sixième génération, elle est née au Royaume de Fal. Elle fut l'Écuyer de Ivy et n'eut aucun Écuyer. Julia est très belle et semble fragile, mais elle tient à être traitée comme tous les autres Chevaliers. Sa magie est impressionnante.

KAGAN

Femme Chevalier de la troisième génération, elle est née au Royaume de Cristal. Elle fut l'Écuyer de Wanda et le maître de Fallon, de Sheehy et d'Akarina. Kagan a épousé le Chevalier Wimme. Kagan est dynamique et espiègle. Elle ne cesse d'encourager tout un chacun. Au combat, elle sait exactement comment stimuler les membres de sa troupe.

Kaled

Chevalier de la sixième génération, il est né au Royaume de Cristal. Il fut l'Écuyer de Lavann et n'eut aucun Écuyer. Kaled est brave et tenace. Rien ne peut lui résister longtemps.

Keiko

Femme Chevalier de la sixième génération, elle est née au Royaume de Jade. Elle fut l'Écuyer de Kira et n'eut aucun Écuyer. Keiko est dramatique et impétueuse. Elle supporte mal les insultes et a tendance à vouloir se venger. Il faut une main de fer pour maîtriser cette fougueuse jeune femme.

Kelly

Chevalier de la cinquième génération, il est né au Royaume de Cristal. Il fut l'Écuyer de Bianchi et le maître d'Esko. Kelly est vif et enthousiaste. Il préfère s'amuser que de se battre, mais lorsqu'il doit aller au combat, personne n'est plus dangereux que lui. C'est comme s'il devenait une toute autre personne.

Kerns

Chevalier de la deuxième génération, il est né au Royaume de Jade. Il fut l'Écuyer de Santo et le maître de Pencer, de Madier, de Sherman et de Célan. Kerns est un philosophe devenu soldat. Il est optimiste et il sait comment encourager ses compagnons, même dans les situations les plus sombres. Il a épousé le Chevalier Jana, mais le couple a choisi de ne pas avoir d'enfants avant la fin de la guerre.

Kevin

Chevalier de la deuxième génération, il est né au Royaume de Zénor. Il fut l'Écuyer de Dempsey et le maître de Milos, de Curri, de Romald et de Liam. Kevin est persévérant, tenace et son instinct de survie est très fort. Il a le don de comprendre les animaux. Empoisonné par Asbeth, il a perdu ses facultés magiques et sa vision de jour, mais a continué de se battre aux côtés des Chevaliers. Sa faculté de déchiffrer les cliquetis de l'ennemi a été fort utile à ses compagnons. Il a épousé le Chevalier Maïwen, mais le couple a choisi de ne pas avoir d'enfants avant la fin de la guerre.

Kilimiris

Chevalier de la sixième génération, il est né au Royaume de Turquoise. Il fut l'Écuyer d'Akers et n'eut aucun Écuyer Kilimiris est timide et effacé. Il est très habile avec ses armes et une fois lancé dans la mêlée, il sait tirer son épingle du jeu.

Kira

Femme Chevalier de la troisième génération, elle est née Princesse de Shola. Elle fut l'Écuyer de Bridgess et le maître de Keiko. Orpheline adoptée par le Roi Émeraude 1er, Kira a grandi dans son palais et a dû faire de gros efforts pour devenir Chevalier. Elle est la princesse sans royaume dont parle la prophétie, mais sa filiation avec l'Empereur Noir et avec le dieu déchu a fait naître bien des embûches sur son chemin. Malgré son apparence très différente de celle de ses compagnons, Kira a un cœur humain et elle se battra jusqu'au bout pour les sauver. Elle a épousé Sage, mais puisque seul Amecareth peut concevoir des rejetons chez les insectes, le couple n'a jamais eu d'enfants.

Kisilin

Femme Chevalier de la quatrième génération, elle est née au Royaume de Cristal. Elle fut l'Écuyer d'Ariane et le maître d'Ivy et de Théa. Kisilin est fonceuse et téméraire. Son ardeur est une source d'inspiration pour les membres de sa troupe.

Koshof

Chevalier de la cinquième génération, il est né au Royaume d'Émeraude. Il fut l'Écuyer d'Arca et le maître de Philin. Koshof est intelligent et rapide. Il comprend instinctivement où il doit frapper sur le champ de bataille.

Kowal

Chevalier de la quatrième génération, il est né au Royaume de Turquoise. Il fut l'Écuyer de Dempsey et le maître de Nelson et de Haspel. Kowal est paisible et conciliant. Il se soucie constamment des autres et ne les perd jamais de vue pendant les combats.

Kruse

Chevalier de la quatrième génération, il est né au Royaume de Turquoise. Il fut l'Écuyer de Derek et le maître de Xéli. Kruse est constamment tourmenté par l'incertitude. Il a besoin d'ordres clairs et précis pour se détendre.

Kumitz

Chevalier de la quatrième génération, il est né au Royaume de Zénor. Il fut l'Écuyer de Bergeau et le maître de Dean et de Waxim. Kumitz est costaud et vigoureux. Il ne peut pas supporter l'injustice et il s'interpose entre ses compagnons lors de leurs rares disputes.

Lassa

Chevalier de la sixième génération, il est né au Royaume de Zénor. Il fut l'Écuyer de Wellan et n'eut aucun Écuyer. Lassa est le porteur de lumière annoncé par les étoiles, mais il se sent bien mal préparé pour jouer ce rôle. Lassa n'a pas l'esprit d'un guerrier. Il préfère la plume à l'épée et la harpe à l'arc. Craintif et doux comme un agneau, il écrit d'interminables poèmes à son héroïne Kira, espérant qu'elle détruise l'Empereur sans lui.

Lavann

Chevalier de la cinquième génération, il est né au Royaume de Fal. Il fut l'Écuyer d'Amax et le maître de Kaled. Lavann est imposant et très convaincant. Il aime se servir de sa magie pour amuser les enfants.

Léode

Chevalier de la sixième génération, il est né au Royaume de Rubis. Il fut l'Écuyer de Nurick et n'eut aucun Écuyer. Léode est intrépide et redoutable. Il est devenu très habile à l'arc et il peut même s'en servir au grand galop sans manquer ses cibles.

Liam

Chevalier de la sixième génération, il est né au Royaume d'Émeraude. Il fut l'Écuyer de Kevin et n'eut aucun Écuyer. Il épousera Mali, une prêtresse Enkiev. Liam est exubérant et désinvolte. Il sait qu'il est né pour être un guerrier, mais il a beaucoup de difficulté à suivre ses ordres. Heureusement, son apprentissage auprès de Kevin l'a un peu assagi. Il est le bouclier de Lassa, c'est-à-dire que les deux jeunes ont la même énergie magique, ce qui sert à confondre l'ennemi. De cette façon, Liam peut protéger Lassa.

Lianan

Chevalier de la sixième génération, il est né au Royaume de Jade. Il fut l'Écuyer de Bergeau et n'eut aucun Écuyer. Lianan a une grande force physique malgré sa frêle constitution. Il a aussi un moral d'acier. Rien ne peut le décourager.

Linney

Chevalier de la cinquième génération, il est né au Royaume d'Opale. Il fut l'Écuyer de Callaan et le maître de Sladek. Digne et fier, Linney ne se mêle pas aussi facilement aux gens que ses frères. Il évite donc les foules quand il le peut. Il a encore beaucoup à apprendre sur la vie en société.

Loreli

Femme Chevalier de la sixième génération, elle est née au Royaume d'Émeraude. Elle fut l'Écuyer d'Ada et n'eut aucun Écuyer. Loreli est douce et sympathique. Elle rêve de se marier un jour et d'avoir des enfants. Pour réaliser ce rêve, elle s'efforce d'éliminer l'envahisseur aux côtés de se frères.

Lornan

Chevalier de la quatrième génération, il est né au Royaume de Fal. Il fut l'Écuyer de Jasson et le maître de Franklin et de Shizuo. Lornan est le plus impénétrable des Chevaliers. Il dit toujours être d'accord avec tout le monde, mais ses yeux sombres semblent exprimer une opinion différente.

Madier

Chevalier de la quatrième génération, il est né dans le Désert. Il fut l'Écuyer de Kerns et le maître de Pierce et de Jakobe. Madier est imposant et têtu. Il a conservé de son lieu natal une tendance à vouloir agir à sa manière. Forcé de travailler en équipe, il apprend petit à petit que les autres aussi peuvent avoir de bonnes idées.

Madul

Chevalier de la sixième génération, il est né au Royaume de Fal. Il fut l'Écuyer de Franklin et n'eut aucun Écuyer. Madul est un bon vivant qui aime rire et faire la fête. Il est resté attaché à son pays d'origine et aimerait bien retourner y vivre après la guerre.

Maïwen

Femme Chevalier de la quatrième génération, elle est née au Royaume des Fées. Elle fut l'Écuyer de Chloé et le maître de Noémie. Maïwen a épousé le Chevalier Kevin pour le soigner, car les Fées ne peuvent pas contracter les maladies des humains. En réalité, elle voyait autour de lui la fameuse aura blanche des âmes sœurs. Maïwen est douce comme de la soie et d'une grande patience. Elle préfère se servir de sa magie pour combattre. Jamais elle ne perd Kevin de vue sur le champ de bataille.

Malède

Chevalier de la sixième génération, il est né au Royaume de Zénor. Il fut l'Écuyer de Randan et n'eut aucun Écuyer. Malède est audacieux et il a soif de vengeance, car on lui a souvent raconté, lorsqu'il était petit, que les hommes-insectes avaient ravagé son village lors de la première invasion. Seul un de ses ancêtres avait survécu au massacre. Il s'est juré de faire payer ce crime à Amecareth.

Mann

Chevalier de la cinquième génération, il est né au Royaume d'Argent. Il fut l'Écuyer de Santo et le maître de Dalvi. Mann a une âme de guérisseur. Bien souvent, il ne comprend même pas ce qu'il fait sur un champ de bataille. Cela ne veut pas dire qu'il ne sait pas se défendre, mais il préfère de loin seconder Santo lorsqu'il y a des blessés.

Marika

Femme Chevalier de la sixième génération, elle est née au Royaume d'Argent. Elle fut l'Écuyer d'Ursa et n'eut aucun Écuyer. Marika est pragmatique et réaliste. À la fin d'un affrontement, ses camarades sont toujours surpris de constater qu'elle sait exactement combien d'ennemis ils ont fauchés. On peut toujours compter sur elle.

Mara

Femme Chevalier de la cinquième génération, elle est née au Royaume de Perle. Elle fut l'Écuyer de Yamina et le maître de Fanelle. Mara est confiante et prudente en tout temps. Elle ne prend jamais de risques inutiles.

Maryne

Chevalier de la sixième génération, il est né au Royaume de Cristal. Il fut l'Écuyer de Benson et n'eut aucun Écuyer. Maryne est enjoué et enthousiaste, mais parfois un peu trop sûr de lui, ce qui lui a valu quelques blessures au combat. Il a encore beaucoup de choses à apprendre sur le travail d'équipe.

Maxense

Chevalier de la sixième génération, il est né au Royaume de Diamant. Il fut l'Écuyer de Pencer et n'eut pas d'Écuyer. Maxense est fougueux et pressé de prouver sa valeur. Il faut parfois le tenir en laisse, car il a tendance à devancer les ordres.

Mercass

Chevalier de la sixième génération, il est né au Royaume de Fal. Il fut l'Écuyer de Colville et n'eut pas d'Écuyer. Mercass est dangereux, car il est imprévisible. C'est un atout sur le champ de bataille, mais c'est un défaut qu'il doit corriger en toute autre situation.

MÉRINE

Chevalier de la sixième génération, il est né au Royaume de Turquoise. Il fut l'Écuyer de Dansen et n'eut aucun Écuyer. Mérine est agile et très souple. Il aurait pu être acrobate. Ses prouesses à cheval n'ont jamais été égalées.

MICHAL

Chevalier de la sixième génération, il est né au Royaume de Rubis. Il fut l'Écuyer de Yann et n'eut aucun Écuyer. Michal est prudent et rigoureux. Il n'agit jamais sans avoir bien compris ses ordres et cela lui joue parfois des tours, surtout dans les embuscades où chaque soldat doit suivre son instinct.

MILOS

Chevalier de la troisième génération, il est né au Royaume de Cristal. Il fut l'Écuyer de Kevin et le maître de Fabrice, de Carlo, de Honsu et de Bathide. Milos est sociable et amusant. Il essaie toujours de remonter le moral des autres.

MOHER

Chevalier de la cinquième génération, il est né au Royaume de Béryl. Il fut l'Écuyer de Herrior et le maître de Valici. Moher est obéissant et fiable. Il est presque aussi bon pisteur que Dempsey.

MORGAN

Chevalier de la troisième génération, il est né dans le Désert. Il fut l'Écuyer de Jasson et le maître de Zane, de Heilder, de Rupert et de Sahill. Morgan est vigoureux, mais aussi très sensible. Les poèmes et les chansons tristes le font pleurer.

MURRAY

Chevalier de la troisième génération, il est né au Royaume de Jade. Il fut l'Écuyer de Falcon et le maître de Dyksta, Reiser, Sagwee et Romy. Murray est indulgent et aimable. Ses camarades se confient spontanément à lui.

MYUNG

Chevalier de la sixième génération, il est né au Royaume de Jade. Il fut l'Écuyer de Dyksta et n'eut aucun Écuyer. Myung est tendre et prévenant. Il connaît toutes les légendes de son pays d'origine et ne se fait jamais prier le soir autour du feu pour les conter.

NÉDA

Chevalier de la sixième génération, il est né au Royaume d'Argent. Il fut l'Écuyer de Dunkel et n'eut aucun Écuyer. Néda est clément et souple d'esprit. Tout comme Wellan, il aurait préféré passer toute sa vie à la bibliothèque, car il adore lire et accroître ses connaissances.

NELSON

Chevalier de la cinquième génération, il est né au Royaume de Diamant. Il fut l'Écuyer de Kowal et le maître de Noah. Nelson est diligent et rapide. Ses observations sont justes et évitent parfois à sa troupe de perdre du temps.

NIKELAI

Chevalier de la sixième génération, il est né au Royaume de Zénor. Il fut l'Écuyer de Jasson et n'eut aucun Écuyer lui-même. Nikelai est vif d'esprit et ses réactions sont rapides. Il adore les jeux de mots et les devinettes.

NOAH

Chevalier de la sixième génération, il est né au Royaume de Cristal. Il fut l'Écuyer de Nelson et n'eut aucun Écuyer. Noah a un esprit inventif. Il sait se sortir de n'importe quel mauvais pas, mais pas toujours sans égratignures.

NOÉMIE

Femme Chevalier de la sixième génération, elle est née au Royaume de Rubis. Elle fut l'Écuyer de Maïwen et n'eut aucun Écuyer. Noémie était fonceuse et imprudente jusqu'à ce qu'elle devienne l'Écuyer de Maïwen. Cette dernière lui a enseigné les bienfaits de la méditation et de la réflexion qu'elle utilise maintenant à bon escient.

NOGAIT

Chevalier de la deuxième génération, il est né Prince du Royaume de Turquoise. Il fut l'Écuyer de Jasson et le maître de Corbin, de Botti, de Fossell et de Dianjin. Nogait est un grand farceur. Il ne prend absolument rien au sérieux. Lorsqu'il se bat, il tient aussi à s'amuser. Il a failli créer un conflit diplomatique en tombant amoureux d'Amayelle, la Princesse des Elfes, mais a fini par l'épouser. Elle lui a donné un fils, Cameron.

NORIKOFF

Chevalier de la sixième génération, il est né au Royaume d'Émeraude. Il fut l'Écuyer de Corbin et n'eut aucun Écuyer. Norikoff est impétueux et explosif. Il a souvent besoin d'être rappelé à l'ordre, mais sur le champ de bataille, il n'hésite pas à affronter plusieurs ennemis à la fois pour venir en aide à un camarade.

NOVA

Chevalier de la sixième génération, il est né au Royaume d'Opale. Il fut l'Écuyer de Brannock et n'eut aucun Écuyer lui-même. Nova a une personnalité pétillante et un grand amour de la vie.

NURICK

Chevalier de la cinquième génération, il est né au Royaume d'Émeraude. Il fut l'Écuyer de Curtis et le maître de Léode. Nurick est consciencieux et attentionné. Il a adoré avoir un apprenti sous son aile et aimerait bien devenir professeur après la guerre.

ODÉLIE

Femme Chevalier de la sixième génération, elle est née au Royaume d'Émeraude. Elle fut l'Écuyer d'Ariane et n'eut aucun Écuyer. Odélie est ouverte et elle veut tout apprendre. Les Fées la fascinent.

OFFMAN

Chevalier de la quatrième génération, il est né au Royaume de Rubis. Il fut l'Écuyer de Falcon et le maître de Fayden et de Jaromir. Offman est infatigable. Même blessé, il continue de se battre et à encourager ses compagnons.

ONILL

Chevalier de la sixième génération, il est né au Royaume de Béryl. Il fut l'Écuyer de Silvess et n'eut aucun Écuyer. Onill est minutieux et amène. Il sait comment mettre les gens à l'aise. Il offre son aide avant même qu'on la lui demande.

ORLANDO

Chevalier de la sixième génération, il est né au Royaume de Fal. Il fut l'Écuyer de Izzly et n'eut aucun Écuyer. Orlando est séduisant et séducteur.

OSAN

Chevalier de la sixième génération, il est né au Royaume de Jade. Il fut l'Écuyer de Dean et n'eut aucun Écuyer. Osan est puissant au combat, mais il aime aussi faire des farces pour détendre l'atmosphère.

OTYLO

Chevalier de la sixième génération, il est né au Royaume d'Opale. Il fut l'Écuyer de Sagwee et n'eut aucun Écuyer. Otylo est sérieux et scrupuleux. Il a des idées bien arrêtées sur le rôle que doit jouer l'Ordre dans le monde.

PARISE

Chevalier de la sixième génération, il est né au Royaume de Turquoise. Il fut l'Écuyer de Drewry et n'eut aucun Écuyer. Parise est flexible et toujours de bonne humeur. Rien ne peut le décourager.

PENCER

Chevalier de la troisième génération, il est né dans le Désert. Il fut l'Écuyer de Kerns et le maître d'Alisen, d'Akers, de Gibbs et de Maxense. Pencer est amical et persévérant. Jamais on ne l'entend se plaindre.

PÉRIN

Chevalier de la sixième génération, il est né au Royaume de Perle. Il fut l'Écuyer de Quill et n'eut aucun Écuyer. Périn est dévoué et il ne se fatigue pas facilement. Il est toujours parmi les derniers à se tenir encore debout.

Phelan

Chevalier de la sixième génération, il est né au Royaume de Cristal. Il fut l'Écuyer de Botti et n'eut aucun Écuyer lui-même. Phelan est très courageux et rien ne lui fait peur.

Philin

Chevalier de la sixième génération, il est né au Royaume de Cristal. Il fut l'Écuyer de Koshof et n'eut aucun Écuyer. Philin est passionné et toujours prêt à rendre service.

Pierce

Chevalier de la cinquième génération, il est né au Royaume de Zénor. Il fut l'Écuyer de Madier et le maître de Tédéenne. Pierce est nerveux et impressionnable. Le moindre revers l'affecte beaucoup.

Polass

Chevalier de la cinquième génération, il est né au Royaume de Diamant. Il fut l'Écuyer d'Atall et le maître de Jolain. Polass est objectif et prudent. Il n'agit jamais sur un coup de tête.

Prorok

Chevalier de la quatrième génération, il est né au Royaume de Turquoise. Il fut l'Écuyer de Colville et le maître de Tivador. Prorok est chaleureux et il encourage constamment les plus jeunes à s'améliorer.

Qilliang

Chevalier de la sixième génération, il est né au Royaume de Jade. Il fut l'Écuyer de Derek et n'eut aucun Écuyer. Qilliang est patient et à l'écoute des aînés. Il ne cesse de s'améliorer.

Quill

Chevalier de la cinquième génération, il est né au Royaume de Béryl. Il fut l'Écuyer de Volpel et le maître de Périn. Quill est alerte et audacieux. Il n'a pas peur de prendre des risques.

Radama

Chevalier de la cinquième génération, il est né au Royaume de Turquoise. Il fut l'Écuyer de Derek et le maître de Dollyn. Radama est passionné et rancunier. Son style de combat est flamboyant.

Rainbow

Femme Chevalier de la cinquième génération, elle est née au Royaume de Diamant. Elle fut l'Écuyer d'Ursa et le maître de Thalie. Rainbow est pleine d'entrain et toujours souriante. Elle est toujours prête à aider tout le monde et on ne l'entend jamais se plaindre.

RANAYELLE

Chevalier de la sixième génération, elle est née au Royaume des Elfes. Elle fut l'Écuyer de Joslove et n'eut aucun Écuyer. Ranayelle est agile et silencieuse comme un chat. Elle est capable de se faufiler n'importe où sans qu'on s'en aperçoive.

RANDAN

Chevalier de la quatrième génération, il est né au Royaume de Rubis. Il fut l'Écuyer de Corbin et le maître de Malède. Randan est tenace et entreprenant. Il se porte toujours volontaire, même pour les plus dangereuses missions.

REISER

Chevalier de la quatrième génération, il est né au Royaume de Zénor. Il fut l'Écuyer de Murray et le maître de Viyay. Reiser est tranquille et attentif. Il a une mémoire phénoménale.

ROBYN

Femme Chevalier de la quatrième génération, elle est née au Royaume des Elfes. Elle fut l'Écuyer de Swan et le maître d'Ellie et de Vélaria. Robyn est aventureuse et, contrairement à ceux de sa race, elle n'a peur de rien.

ROMALD

Chevalier de la quatrième génération, il est né au Royaume de Rubis. Il fut l'Écuyer de Kevin et le maître de Shandini. Romald est un redoutable adversaire qui peut tenir indifféremment son épée dans la main droite ou dans la main gauche. Puisqu'il lui arrive de changer de main au milieu d'un combat, il désarçonne facilement son adversaire.

ROMY

Chevalier de la sixième génération, il est né au Royaume de Rubis. Il fut l'Écuyer de Murray et n'eut aucun Écuyer. Romy est doux et délicat. Il est l'un des meilleurs cavaliers de l'Ordre et peut faire absolument n'importe quoi sur le dos d'un cheval.

RUPERT

Chevalier de la cinquième génération, il est né au Royaume de Perle. Il fut l'Écuyer de Morgan et le maître de Fideka. Rupert est fier et il n'a pas la langue dans sa poche. Il ne se gêne pas pour le dire lorsque ses ordres lui paraissent inadéquats.

RYUN

Chevalier de la sixième génération, il est né au Royaume de Béryl. Il fut l'Écuyer de Fossell et n'eut pas d'Écuyer. Ryun est diligent et tolérant. Il réagit avec empressement aux ordres de son commandant.

SAGE

Chevalier ayant bénéficié de la procédure d'exception, il est né au Royaume des Esprits d'une mère hybride et d'un père humain. Il ne fut l'Écuyer de personne, mais fut cependant le maître de Cassildey pendant un certain temps. Sage est courageux et plein de bonne volonté. Enlevé par un dragon, il a dû faire preuve d'ingéniosité pour demeurer en vie. Jamais il n'a perdu courage. Sage a épousé Kira avant son enlèvement, mais puisque seul Amecareth peut concevoir des rejetons chez les insectes, le couple n'a jamais eu d'enfants.

SAGWEE

Chevalier de la cinquième génération, il est né au Royaume de Jade. Il fut l'Écuyer de Murray et le maître d'Otylo. Sagwee est espiègle et fantaisiste. Il se fait un devoir de faire rire sa troupe lorsque la situation devient trop tendue.

SAHILL

Chevalier de la sixième génération, il est né au Royaume de Diamant. Il fut l'Écuyer de Morgan et n'eut pas d'Écuyer. Sahill est silencieux et fiable. On peut lui confier des missions qui exigent du tact et de la vitesse.

SALMO

Chevalier de la quatrième génération, il est né au Royaume de Turquoise. Il fut l'Écuyer de Brennan et le maître d'Aurelle. Salmo est impressionnable et il ne réagit pas très bien devant les imprévus. Il a besoin d'être constamment rassuré.

SAPHORA

Femme Chevalier de la sixième génération, elle est née au Royaume de Turquoise. Elle fut l'Écuyer de Drew et n'eut aucun Écuyer. Saphora est douce et gentille. Elle commence à développer de puissants dons de guérison qui lui permettent de venir en aide à ses compagnons sur le champ de bataille.

SÉDANIE

Femme Chevalier de la sixième génération, elle est née au Royaume de Turquoise. Elle fut l'Écuyer de Terri et n'eut aucun Écuyer. Sédanie est dévouée, mais un brin craintive. Elle a besoin de beaucoup d'encouragement de la part de ses camarades, car elle ne se sent jamais assez efficace.

Shandini
Chevalier de la sixième génération, il est né au Royaume des Elfes. Il fut l'Écuyer de Romald et n'eut aucun Écuyer. Shandini est intelligent et rusé comme un renard. Il est capable de se sortir de n'importe quelle situation épineuse.

Shangwi
Chevalier de la sixième génération, il est né au Royaume de Jade. Il fut l'Écuyer de Santo et n'eut aucun Écuyer. Shangwi est prévenant et persévérant. Plus que tout autre, il se fie à ses intuitions.

Sheehy
Femme Chevalier de la quatrième génération, elle est née dans le Désert. Elle fut l'Écuyer de Kagan et le maître de Brianna. Sheehy est robuste et optimiste. Ce qu'elle aime par-dessus tout, c'est rendre service.

Sherman
Chevalier de la quatrième génération, il est né au Royaume d'Opale. Il fut l'Écuyer de Kerns et le maître de Benson et de Christer. Sherman est fougueux et sa hardiesse ressemble parfois à de la témérité.

Shizuo
Chevalier de la sixième génération, il est né au Royaume de Jade. Il fut l'Écuyer de Lornan et n'eut aucun Écuyer. Shizuo est patient et consciencieux. Au combat, son premier réflexe est d'utiliser la magie. Il ne se sert de ses armes qu'en dernier recours.

Shuhei
Chevalier de la sixième génération, il est né au Royaume de Jade. Il fut l'Écuyer d'Amax et n'eut aucun Écuyer. Shuhei est sensible et romantique. Il sait que ses parents ont été forcés de l'enrôler dans l'Ordre en raison de ses puissants pouvoirs magiques, mais il préférerait vivre dans des temps de paix.

Silvess
Chevalier de la quatrième génération, il est né au Royaume de Perle. Il fut l'Écuyer de Colville et le maître d'Onill. Silvess est acharné et têtu. Il ne s'arrête jamais avant d'avoir accompli la tâche qu'on lui a confiée.

Sladek
Chevalier de la sixième génération, il est né au Royaume de Béryl. Il fut l'Écuyer de Linney et n'eut aucun Écuyer lui-même. Sladek est un excellent archer. Il aime apprendre le maniement d'armes différentes.

SORA

Femme Chevalier de la sixième génération, elle est née au Royaume de Fal. Elle fut l'Écuyer de Dillawn et n'eut aucun Écuyer. Sora a une apparence fragile, mais il ne faut pas s'y fier. Elle est intense et énergique au combat.

STONE

Chevalier de la cinquième génération, il est né au Royaume d'Opale. Il fut l'Écuyer de Colville et le maître d'Armil. Stone est fonceur et redoutable. C'est pour lui un grand honneur de défendre le continent contre l'envahisseur.

SWAN

Femme Chevalier de la troisième génération, elle est née au Royaume d'Opale. Elle fut l'Écuyer de Bridgess et le maître de Robyn, de Dillawn et de Jenifael. Swan a épousé le paysan Farrell sans se douter que l'esprit d'Onyx s'était emparé de lui. Ils ont eu trois garçons et en ont adopté un quatrième. Lorsqu'elle a découvert qu'elle était désormais mariée à un homme tout à fait différent, elle a bien failli demander le divorce. Mais Onyx a su l'amadouer avec le temps. Swan est opiniâtre et il est très difficile de la faire changer d'idée. Elle croit à l'égalité entre les hommes et les femmes.

SYMILDE

Chevalier de la sixième génération, il est né au Royaume de Turquoise. Il fut l'Écuyer de Gibbs et n'eut aucun Écuyer. Symilde est prudent et attentionné. Il ne prend aucune décision par lui-même et préfère attendre les ordres.

SYRIAN

Chevalier de la sixième génération, il est né au Royaume d'Opale. Il fut l'Écuyer de Harrison et n'eut aucun Écuyer. Syrian est hardi et il manie habilement toutes les armes. De plus, il apprend très rapidement.

TARA

Femme Chevalier de la sixième génération, elle est née au Royaume de Perle. Elle fut l'Écuyer de Gabrelle et n'eut aucun Écuyer. Tara est audacieuse et courageuse. Elle n'a peur de rien.

TAZYEL

Chevalier de la sixième génération, il est né au Royaume de Cristal. Il fut l'Écuyer d'Arca et n'eut aucun Écuyer. Tazyel est aimable et souriant. Il a une voix magnifique et aime chanter pour tout et pour rien.

TÉDÉENNE

Chevalier de la sixième génération, il est né au Royaume d'Argent. Il fut l'Écuyer de Pierce et n'eut aucun Écuyer. Tédéenne est calme et dévoué. Il n'aime pas la guerre, mais il sait qu'elle est inévitable pour débarrasser Enkidiev des hommes-insectes.

TERRI

Femme Chevalier de la cinquième génération, elle est née au Royaume de Turquoise. Elle fut l'Écuyer de Gabrelle et le maître de Sédanie. Terri est dynamique et tenace. Elle n'aime pas se faire dire non.

THALIE

Femme Chevalier de la sixième génération, elle est née au Royaume d'Émeraude. Elle fut l'Écuyer de Rainbow et n'eut aucun Écuyer. Thalie est toujours de bonne humeur, mais parfois imprudente. Elle a besoin de recevoir des directives très claires.

THÉA

Femme Chevalier de la sixième génération, elle est née au Royaume de Jade. Elle fut l'Écuyer de Kisilin et n'eut aucun Écuyer. Théa est gentille et rigoureuse. Elle a appris avec son maître à écouter les signes de la nature.

TIDIAN

Chevalier de la sixième génération, il est né au Royaume de Béryl. Il fut l'Écuyer de Honsu et n'eut aucun Écuyer. Tidian est sociable et il a une patience d'ange. Il peut attendre un commandement sans bouger pendant des heures.

TIVADOR

Chevalier de la sixième génération, il est né au Royaume de Zénor. Il fut l'Écuyer de Prorok et n'eut aucun Écuyer. Tivador est musclé et imposant et pourtant, il est doux comme un agneau. Il a intérêt à mieux se faire connaître.

TOMASO

Chevalier de la sixième génération, il est né au Royaume de Fal. Il fut l'Écuyer de Yancy et n'eut aucun Écuyer. Tomaso est robuste. Il est également un excellent stratège et n'hésitera jamais à prendre la place de son commandant, au besoin.

Uhwan

Chevalier de la sixième génération, il est né au Royaume de Cristal. Il fut l'Écuyer de Bianchi et n'eut aucun Écuyer. Uhwan est exubérant et téméraire. Tout ce qu'il veut, c'est une chance de prouver sa valeur.

Ursa

Femme Chevalier de la quatrième génération, elle est née au Royaume de Cristal. Elle fut l'Écuyer de Wanda et le maître de Rainbow et de Marika. Ursa est analytique et réservée. Elle a besoin de plus de temps que ses compagnons pour analyser une situation, mais ses conclusions sont irréfutables.

Valici

Chevalier de la sixième génération, il est né au Royaume des Elfes. Il fut l'Écuyer de Moher et n'eut aucun Écuyer. Valici est effacé, mais remarquablement efficace. Il sait écouter et il obéit sans jamais se plaindre.

Vassilios

Chevalier de la sixième génération, il est né au Royaume de Rubis. Il fut l'Écuyer d'Alisen et n'eut aucun Écuyer. Vassilios est imposant et il fait preuve d'une bravoure digne de celle de ses aînés.

Vélaria

Femme Chevalier de la sixième génération, elle est née au Royaume d'Émeraude. Elle fut l'Écuyer de Robin et n'eut aucun Écuyer. Vélaria est avenante et moqueuse. Elle sait aiguillonner ses compagnons de troupe lorsqu'ils font preuve d'indécision.

Viyay

Chevalier de la sixième génération, il est né au Royaume de Perle. Il fut l'Écuyer de Reiser et n'eut aucun Écuyer lui-même. Viyay est silencieux et attentif. Il préfère observer longtemps une situation avant de s'y engager.

Volpel

Chevalier de la quatrième génération, il est né au Royaume d'Argent. Il fut l'Écuyer de Wellan et le maître de Quill et de Cyril. Volpel est attentif et réfléchi. Il prend toutes ses responsabilités au sérieux. Il éprouve de tendres sentiments pour son compagnon Bailey.

Wanda

Femme Chevalier de la deuxième génération, elle est née au Royaume de Diamant. Elle fut l'Écuyer de Chloé et le maître de Kagan, d'Ursa, de Joslove et d'Ambre. Wanda est endurante, obéissante et très dévouée. Elle a épousé le Chevalier Falcon et a failli mourir en mettant leur fils Nartrach au monde. Elle aura aussi une fille plus tard que le couple nommera Aurélys.

Waxim

Chevalier de la sixième génération, il est né au Royaume d'Opale. Il fut l'Écuyer de Kumitz et n'eut aucun Écuyer. Waxim est éloquent et divertissant. Il sait remettre de la joie dans sa troupe après une dure journée de combat.

Wimme

Chevalier de la deuxième génération, il est né au Royaume de Diamant. Il fut l'Écuyer de Falcon et le maître de Brennan, d'Amax, de Callaan et de Filip. Wimme a une peau d'ébène, comme plusieurs des habitants de Diamant. Il est intelligent, vif et très puissant au combat. Il a aussi un petit côté sentimental et un sourire qui fait fondre les femmes. Il a épousé le Chevalier Kagan, mais le couple a choisi de ne pas avoir d'enfants avant la fin de la guerre.

Winks

Femme Chevalier de la quatrième génération, elle est née au Royaume de Jade. Elle fut l'Écuyer d'Ariane et le maître d'Ada et d'Ali. Winks est joyeuse et ne se décourage jamais. Elle croit sincèrement à la prophétie qui parle de la fin de la guerre.

Xéli

Chevalier de la sixième génération, il est né au Royaume de Diamant. Il fut l'Écuyer de Kruse et n'eut aucun Écuyer. Xéli est confiant et un brin frondeur. Il a donné de cuisants soucis à son maître qui lui, souffre d'incertitude.

XION

Chevalier de la sixième génération, il est né au Royaume d'Opale. Il fut l'Écuyer de Curtis et n'eut aucun Écuyer. Xion est redoutable sur le champ de bataille puisqu'il est aussi imprévisible que le temps. On ne sait jamais sur quel pied danser avec lui.

YAMINA

Femme Chevalier de la quatrième génération, elle est née au Royaume de Béryl. Elle fut l'Écuyer de Bridgess et le maître de Mara et d'Émélianne. Yamina est douce et diplomate. Elle aime absolument tout le monde et ne peut pas supporter la moindre querelle. Elle déteste la guerre, mais elle ne peut pas non plus laisser l'Empereur Noir s'emparer d'Enkidiev, car il aurait tôt fait d'assassiner tout le monde.

YANCY

Chevalier de la cinquième génération, il est né au Royaume de Rubis. Il fut l'Écuyer de Hiall et le maître de Tomaso. Yancy est fonceur et déterminé. Il a une force surhumaine qui lui permet de faucher deux ennemis à la fois.

YANN

Chevalier de la quatrième génération, il est né au Royaume d'Opale. Il fut l'Écuyer de Falcon et le maître d'Alwin et de Michal. Yann est tranquille et silencieux. Son instinct le prévient toujours à temps du danger.

ZANE

Chevalier de la quatrième génération, il est né au Royaume de Cristal. Il fut l'Écuyer de Morgan et le maître de Horacio. Zane est fiable et objectif. On peut toujours se fier à son jugement.

ZANDOR

Chevalier de la sixième génération, il est né au Royaume de Cristal. Il fut l'Écuyer de Chesley et n'eut aucun Écuyer. Zandor est fougueux et plein d'entrain. Il faut le retenir solidement en arrivant sur le champ de bataille, car il fonce aveuglément sur l'ennemi.

ZERROUK

Chevalier de la quatrième génération, il est né au Royaume de Diamant. Il fut l'Écuyer de Jasson et le maître d'Aidan et d'Anton. Zerrouk est espiègle et dévoué. Il sait bien qu'il passera presque toute sa jeunesse à la guerre, alors il s'assure que cette expérience lui rapporte quelque chose.

ZORAN

Chevalier de la sixième génération, il est né au Royaume de Fal. Il fut l'Écuyer de Botti et n'eut aucun Écuyer. Zoran est jeune et plein d'ardeur. Comme plusieurs des jeunes gens de son âge, il veut surtout prouver qu'il est digne de la confiance que son commandant place en lui.

Les unités de combat
(lors de la dernière grande guerre)

Groupe de Bergeau

Akarina	Filip	Kilimiris	Morgan	Sheehy
Akers	Haspel	Kowal	Orlando	Sherman
Bansal	Ivanko	Lianan	Parise	Sladek
Bélonn	Izzly	Linney	Randan	Tazyel
Brianna	Julia	Malède	Sahill	Terri
Christer	Kagan	Mercass	Sédanie	Wimme

Tombés au combat : Christer, Fayden et Édul

Groupe de Chloé et Dempsey

Aidan	Drew	Kisilin	Otylo	Stone
Cilian	Esko	Marika	Pierce	Swan
Coralie	Gibbs	Murray	Qilliang	Symilde
Deleska	Herrior	Sagwee	Radama	Tédéenne
Derek	Indya	Saphora	Reiser	Théa
Dianjin	Jaromir	Nogait	Romy	Ursa
Dillawn	Jenifael	Offman	Sora	Viyay
Dollyn	Kelly			

Tombé au combat : Armil

Groupe de Falcon et Hadrian

Ada	Carlo	Ellie	Lornan	Rupert
Aldian	Chesley	Falide	Maïwen	Salmo
Alex	Cristelle	Fideka	Mann	Shizuo
Alwin	Dalvi	Kevin	Maryne	Tivador
Ambre	Daviel	Kruse	Myung	Wanda
Aurelle	Davis	Léode	Noémie	Xéli
Bankston	Donatey	Liam	Nurick	Zandor
Benson	Dyksta	Loreli	Prorok	

Tombés au combat : Candiell et Fallon

Groupe de Jasson

Alisen	Dienelt	Joslove	Norikoff	Shuhei
Amax	Edessa	Keiko	Nova	Tomaso
Ariane	Émélianne	Koshof	Odélie	Vassilios
Botti	Fabrice	Madier	Phelan	Yamina
Brannock	Fossell	Nelson	Philin	Yancy
Brit	Jaake	Nikelai	Ranayelle	Zoran
Corbin	Jakobe	Noah	Ryun	

Tombés au combat : Kardey et Sage

Groupe de Santo

Analia	Franklin	Jonas	Mérine	Silvess
Andaraniel	Gabrelle	Kaled	Michal	Syrian
Brennan	Goran	Kerns	Onill	Tara
Camilla	Harrison	Kumitz	Pencer	Tidian
Célan	Héliante	Lavann	Romald	Waxim
Chariff	Hiall	Madul	Shandini	Yann
Dansen	Horacio	Mara	Shangwi	Zane
Fanelle	Jana	Maxense		

Tombé au combat : Honsu

Groupe de Wellan

Ali	Callaan	Hettrick	Osan	Uhwan
Allado	Cidia	Jinann	Périn	Valici
Anton	Curtis	Jolain	Polass	Vélaria
Atalée	Cyril	Lassa	Quill	Volpel
Bailey	Dean	Milos	Rainbow	Winks
Bathide	Domenec	Moher	Robyn	Xion
Bianchi	Dunkel	Néda	Thalie	Zerrouk
Bridgess	Francis			

Tombés au combat : Cassildey, Jukos et Wellan

Les magiciens

Élund

Défunt magicien d'Émeraude, né au Royaume de Rubis, qui a enseigné la magie, la lecture, l'écriture, l'histoire et les sciences aux trois quarts des Chevaliers d'Émeraude. Sa mort avait d'abord semblé naturelle, mais, puisqu'elle a été précédée de l'assassinat du magicien Mori, il y a lieu de se poser des questions. Élund était flamboyant, exigeant et coloré. Il aimait la bonne chair et le vin.

Farrell

Né paysan d'Émeraude, Farrell a changé son destin en suivant les Chevaliers d'Émeraude à Zénor, où il s'est épris du Chevalier Swan. Il aurait eu une vie tranquille, si l'esprit d'Onyx n'était pas entré en lui pour prendre possession de son corps. Le nouveau Farrell est devenu l'apprenti du magicien Hawke, mais en réalité, il n'avait besoin d'aucune leçon de la part de qui que ce soit. Onyx est le plus puissant de tous les magiciens d'Enkidiev.

Hawke

Magicien d'Émeraude ayant succédé à Élund. Hawke n'était pas tout à fait prêt à prendre la place de son maître lorsqu'il est décédé, mais avec les encouragements de Farrell, il s'est habitué à sa nouvelle position. Hawke est né au Royaume des Elfes. Il est timide de nature, mais d'un dévouement à toute épreuve. Il a épousé Élizabelle, la fille du forgeron, même si Morrison, son futur beau-père le terrorisait. C'est après avoir touché une pierre de pouvoir ayant appartenu aux Sholiens que Hawke a embrassé sa destinée. Il est l'un des premiers magiciens à avoir pris les armes, si on tient compte que Farrell était déjà possédé par l'esprit d'Onyx lorsqu'il commença à enseigner au Château d'Émeraude.

Mori

Défunt magicien de Béryl, né dans ce royaume, qui a péri dans l'incendie allumé par Nomar pour l'empêcher de partager ses découvertes avec le reste du monde. Contrairement à Élund, Mori était sobre et discret. Il ne sortait de sa caverne que pour les fêtes agricoles célébrées par les Bérylois.

Les maîtres magiciens

Ariane

Fille de l'Immortel Danalieth et de Calva, Reine des Fées, Ariane est née dans la forêt des Elfes. Dès qu'elle a été hors de danger, Danalieth est allé la remettre dans les bras de sa mère pour qu'elle en fasse une Fée. Il était loin de savoir que sa fille deviendrait Chevalier d'Émeraude. Ariane manifestant des facultés divines et la reine ne désirant pas que son mari lui fasse la vie dure, puisqu'il n'était pas son père, elle fut envoyée à Émeraude pour étudier. Ariane fit enlever ses ailes à onze ans, car elle voulait plus que tout au monde devenir Chevalier. Ariane est douce et très belle, mais confrontée à l'ennemi, elle se transforme en véritable ouragan. Elle a épousé le capitaine Kardey d'Opale. Le couple a une jolie fillette prénommée Améliane dont s'occupe son père.

Dinath

Fille de l'Immortel Danalieth et de Calva, Reine des Fées, Dinath est née dans la forêt de Turquoise où son père a vu seul à sa survie et à sa croissance. Elle connaît l'histoire d'Enkidiev et de tous ses habitants parce que son père la lui a racontée, mais elle n'est véritablement entrée en contact avec les humains que lorsque les troupes de l'Empereur Noir onl commencé à faire des percées importantes à l'intérieur du continent. Dinath est simple et naturelle. Sa seule préoccupation a longtemps été de garder son père en vie. Elle éprouve de tendres sentiments pour Dylan, le fils de Wellan.

Jenifael

Elle est maître magicien, même si son père était mortel, puisqu'elle est née au Royaume des Elfes par une opération magique. Fille du Chevalier Wellan et de la déesse Theandras, elle est tout de même très attachée à Bridgess, sa mère adoptive. Jenifael n'a pas voulu tout de suite utiliser ses pouvoirs divins, afin de se conformer aux directives de l'Ordre. Et il a aussi fallu qu'elle comprenne que sa divinité ne l'empêcherait pas d'aimer celui qui faisait battre son cœur. En vieillissant, elle acceptera de plus en plus son nouveau rôle auprès des humains.

Kira

Née au Royaume de Shola, Kira est maître magicien, car sa mère, la Reine Fan de Shola, était maître magicien elle-même, Kira n'est pas très fière de son ascendance paternelle. En effet, elle est la fille de l'Empereur Amecareth qui aimerait bien l'avoir auprès de lui. Kira se croyait unique au monde jusqu'à ce qu'elle rencontre Jahonne, hybride elle aussi. Élevée par les humains, Kira a eu beaucoup de mal à accepter sa puissance, ne voulant pour elle-même qu'une vie normale auprès de son mari Sage. Il lui a fallu un plongeon dans le passé pour comprendre que c'était elle-même qui s'imposait des restrictions magiques. Kira est la princesse sans royaume qui protégera le porteur de lumière. Une fois qu'elle l'a eu compris et accepté, Kira a utilisé toutes ses ressources pour que Lassa accomplisse son destin. Incapable de vivre dans la solitude, elle s'est finalement laissée gagner par les égards du Prince de Zénor qu'elle a accepté d'épouser. À leur grande surprise, le couple a eu un fils qu'ils ont prénommé Wellan.

Les Immortels

Abnar

Mieux connu sous le nom de Magicien de Cristal. Il a plus de cinq cents ans, ce qui est relativement jeune pour un Immortel. Il se donne une apparence d'une trentaine d'années lorsqu'il doit entrer en communication avec les humains. Sa mission est d'aider ces derniers à conserver Enkidiev. Il était peu expérimenté au moment de la première invasion et il a fait trop confiance aux premiers Chevaliers d'Émeraude. Il est donc devenu très prudent lorsqu'il doit leur octroyer des pouvoirs. Il apprendra peu à peu que tous les hommes ne sont pas pareils.

Danalieth

Demi-dieu né de l'union de la déesse Natelia, la déesse des secrets, et d'un roi Elfe. Sa mère avait accepté, à la demande de Parandar, de le mettre au service des hommes-insectes sur leur grand continent rocailleux. Le chef du panthéon était persuadé que la bonté, la compassion et la générosité de Danalieth sauraient transformer l'empereur de ce peuple insatiable en une créature plus indulgente. Mais Danalieth possédait quelque chose que Parandar n'avait jamais accordé à ses serviteurs : sa propre volonté. Danalieth descendit du ciel, mais au lieu de servir l'ancêtre d'Amecareth, il visita plutôt la grande île qu'habitait son père. Leur rencontre avait changé le cours de l'histoire. Danalieth s'était imprégné de la civilisation elfique. Il avait appris sa magie, sa langue, sa façon exquise de façonner des bijoux. Inévitablement, il avait fini par transgresser les lois célestes. Il aimait tellement ce peuple noble et supérieur qu'il lui avait enseigné à communiquer avec les dieux de la nature. Il lui avait aussi fait cadeau de superbes ouvrages d'orfèvrerie, dont le médaillon qui avait été la propriété de Wellan. Ces objets renfermaient de terribles pouvoirs. Danalieth faillit connaître une fin tragique. Prévenu par sa mère de la colère du panthéon, l'Immortel avait caché un peu partout des armes de pouvoir. Parmi elles, la griffe de toute-puissance avait été dissimulée dans les rochers par la déesse Cinn, mais elle avait été forgée au pays des Elfes par Danalieth lui-même. Et il y en avait d'autres. La déesse Natelia sauva son fils du sabre du chef des dieux en lui substituant une créature sans âme qui avait ses traits. Danalieth se réfugia alors sur Enkidiev où il surveilla de près les progrès des humains.

Dylan

Dylan est le fils du maître magicien Fan de Shola et du Chevalier Wellan. Puisqu'il est né dans l'au-delà, il est devenu Immortel. Très indépendant comme son père, il s'est attiré bien des châtiments de la part de ses gardiens célestes à qui il échappait un peu trop souvent. Contrairement à la plupart des Immortels, Dylan a découvert l'identité de son père terrestre et de ses demi-sœurs. Il s'est juré de protéger Enkidiev et les humains comme Abnar. Au cours d'une des missions que lui avait confiée la déesse Theandras, Dylan s'est épris d'une jeune maître magicien : Dinath. Pour la protéger, il a affronté le dieu déchu qui lui a infligé une terrible blessure magique le rendant mortel. Mais il a appris que la plus grande force de l'univers est l'amour.

Ehafel

Immortel ayant précédé Abnar auprès des humains.

Vinciane

Première Immortelle à s'être occupée des humains.

Les dieux

Abussos
Dieu des entrailles de la terre, vénéré par les habitants de Béryl.

Aiapaec et Aufaniae
Dieux suprêmes, principes masculin et féminin de l'Univers. Ils sont les parents de Parandar, Theandras et Akuretari.

Akuretari
Plus jeune fils des véritables auteurs de l'Univers Aiapaec et Aufaniae, Akuretari s'est révolté contre les pouvoirs que ses parents avaient accordés à ses aînés et non à lui. Pour se venger, il a tenté lui aussi de fabriquer des créatures vivantes, privilège uniquement accordé à son frère aîné, mais n'a réussi qu'à créer des monstres volants. Il fut condamné avec ses partisans à passer le reste de l'éternité dans un gouffre sans fond, mais a réussi à s'en échapper après avoir tué tous ses alliés. Il a décidé de donner une leçon à Parandar en éliminant toute vie sur Enkidiev. Il connut d'abord un court épisode amoureux, car il était tombé amoureux d'une Elfe avec qui il conçut le maître magicien Fan de Shola. Akuretari s'en est alors pris aux habitants du monde créé par son frère, adoptant d'abord l'aspect d'un Immortel, puis le véritable aspect des dieux : celui d'un alligator marchant sur deux pattes. Il fut grièvement blessé par la griffe d'Onyx et la lance de Danalieth et ne put jamais sacrifier d'enfants sur l'autel de Lubride, ce qui l'aurait rendu mille fois plus fort. C'est finalement grâce aux spirales enflammées gravées dans les mains de Wellan que prit fin ses ravages.

Assequir
Déesse du plaisir, vénérée par les habitants de Fal.

Capéré
Dieu de la chasse, vénéré par les habitants d'Opale.

Cinn
Fille de Parandar et de Clodissia, à qui Parandar a confié la tâche de faire régner la justice parmi les dieux. Elle est aussi la mère de l'Immortel Abnar. Elle personnifie la douceur et la grâce. C'est elle qui a dépouillé Danalieth des armes puissantes qu'il avait créées, de crainte que les humains ne s'en servent pour déstabiliser l'ordre du monde. Pour que les dieux ne soient non plus tentés de les utiliser, la déesse les a cachées sur Enkidiev dans les temples bâtis par les hommes pour la vénérer. Elle ignorait qu'il en existait bien d'autres encore. Désirant enfanter, elle choisit le Roi Kogal d'Argent comme partenaire, aussi connu sous le nom elfique de Driance, et donna naissance à Abnar.

CLODISSIA

Épouse de Parandar, pour qui il a créé le monde. Elle est douce et charmante et n'aime pas la discorde. C'est elle qui enseigna l'histoire à Dylan.

CROLYN

Dieu des souffrances, assassiné par Akuretari.

DRESSAD

Dieu des récoltes, vénéré par les habitants d'Émeraude.

ESTOLA

Déesse du bonheur, vénérée par les Fées.

FAN

Elle est née maître magicien, puisque sa mère était mortelle et son père était un dieu. Sa mère ayant épousé le Roi de Shola, elle devint princesse de ce grand pays de glace. Ses parents organisèrent son mariage au Roi Shill. Elle mit au monde l'enfant conçue lors du viol de l'Empereur Noir, Kira, puis donna naissance en secret à une seconde fille qu'elle confia à la sorcière Anyaguara. De retour à Shola, Fan connut une fin atroce aux mains du sorcier Asbeth, tandis que toute la population de Shola était exterminée par les dragons de l'Empereur Noir. Étant la fille d'un dieu, Fan n'a pas été admise sur les grandes plaines de lumière, mais est plutôt devenue Immortelle. Elle s'est tout de suite servie de cette position avantageuse pour protéger et guider sa fille sur Enkidiev. À la demande des dieux, elle a aussi séduit le Chevalier Wellan pour concevoir un nouvel Immortel : Dylan. Elle a vite compris que c'était un amour impossible et que les longues années de séparation les faisaient souffrir tous les deux. Après la destruction du dieu Akuretari, elle fut appelée à régner avec Parandar et Theandras.

HUNHAN

Dieu des morts, l'un des enseignants des jeunes Immortels.

IALONUS

Dieu des créatures de la mer, vénéré par les habitants d'Argent.

IVANA

Déesse des festivités, vénérée par les habitants de Zénor.

Kunado
Dieu des morts, l'un des enseignants des jeunes Immortels.

Lagentia
Déesse des arts, vénérée par les habitants de Diamant.

Lanta
Plus jeune déesse du panthéon. Personne ne l'adorait encore, alors elle passait ses journées à s'amuser jusqu'à ce qu'elle périsse aux mains d'Akuretari.

Liam
Dieu des tempêtes, vénéré par les habitants d'Émeraude.

Nadian
Dieu des forges, vénéré par tous les habitants d'Enkidiev et surtout les habitants de Turquoise. Il est souvent représenté comme un forgeron à quatre mains abattant de puissants marteaux sur une épée.

Natelia
Déesse des secrets et mère de Danalieth. Elle réussit à berner Parandar qui exécuta une créature sans âme au lieu de son fils.

Parandar
Chef des dieux inférieurs, fils aîné d'Aiapaec et d'Aufaniae. Il communique avec les Immortels en parlant directement à leur esprit. Il est le seul à pouvoir retirer à un Immortel sa pérennité. Il aime bien se donner une apparence humaine et des airs de roi.

Podra
Dieu des vents, assassiné par Akuretari.

Rogantia
Déesse du travail, vénérée par les habitants de Perle.

Sauska
Déesse ailée de la guérison, vénérée par les habitants de Zénor.

Shushe
Déesse des énigmes, vénérée par les habitants de Jade.

Theandras

Fille d'Aiapaec et d'Aufaniae. Theandras est la déesse du feu. Elle veille sur le panthéon des dieux avec son frère Parandar. Touchée par la dévotion du Chevalier Wellan à son égard depuis sa plus tendre enfance, elle lui est venue constamment en aide durant les combats contre les hommes-insectes. Pour le remercier de son amour infaillible, Theandras lui a donné une fille née de sa chair et de la sienne. C'est grâce à sa perspicacité que Theandras a sauvé les domaines célestes de la rage meurtrière d'Akuretari.

Valioce

Déesse de la fertilité, vénérée par les habitants de Turquoise.

Vatacoalt

Dieu des vents, vénéré par les habitants de Zénor.

Vetsev

Dieu des rivières, assassiné par Akuretari.

Vinbieth

Ou Ordos dans la langue des humains, il est le dieu des arbres pour les Elfes. Il peut modifier son apparence physique a volonté. Ses paroles sont sacrées pour les Elfes.

Vindemia

Déesse de la nature, vénérée par les habitants de Cristal.

Withem

Dieu des aurores boréales, assassiné par Akuretari.

Les familles royales d'Enkidiev

L'organigramme

Le royaume d'Argent

Roi Cull et Reine Olivi

Prince Rhee

Le royaume de Béryl

Roi Wyler et Reine Stela

Chevalier Dempsey

Princesse Maud

Le royaume de Cristal

Roi Cal et Reine Félicité

Le royaume de Diamant

Roi Kraus et Reine Saramarie

Princesse Bela

Chevalier Chloé

Le royaume des Elfes

Roi Hamil et Reine Ama

Princesse Amayelle

Le royaume d'Émeraude

Roi Onyx et Reine Swan

Prince Atlance

Prince Fabian

Prince Maximilien

Le royaume de Fal

Roi Patsko et Reine Christa

Prince Solorius

Prince Karl

Le royaume des Fées

Roi Tilly et Reine Calva

Chevalier Ariane

Princesse Dinath

Le royaume de Jade

Roi Lang et Reine Natta

Prince Aleck

Prince Zabros

Princesse Shenyann

Le royaume d'Opale

Roi Nathan et Reine Ardère

Chevalier Swan

Prince Humey

Le royaume de Perle

Roi Giller et Reine Mélyssa

Chevalier Bridgess

Prince Xavier

Le royaume de Rubis

Roi Stem et Reine Maud

Le royaume de Turquoise

Roi Toma et Reine Rojane

Chevalier Nogait

Prince Levin

Le royaume de Zénor

Roi Vail et Reine Jana

Prince Zack

Princesse Mona

Chevalier Lassa

Autres valeureux amis parmi les royaumes

Le royaume de Cristal

Amann – du village de Drake

Connor – chef du groupe de guetteurs sur la côte

Duane – membre du groupe de Connor

Ethan – conteur de Cristal

Le royaume des Elfes

Djen – premier à avoir communiqué avec les Chevaliers

Elbeni – du clan des Aronals et autrefois promis d'Amayelle

Katas – archer et ami des Chevaliers

Oliek – du clan des Enalds, ami d'enfance d'Amayelle

Valill – archer

Le royaume d'Émeraude

Armène – servante, gouvernante de Kira et de plusieurs autres enfants des Chevaliers

Armène

Broderika – fille de Bergeau et Catania

Cameron – fils de Nogait et Amayelle

Danitza – fille de Bergeau et Catania

Élizabelle – fille de Morrison, épouse de Hawke

Evana – petite fille guérie par Santo

Katil – fille de Jasson et Sanya

Kiefer – fils de Bergeau et Catania assassiné par Amecareth

Leomphe – chef d'un village d'Émeraude et père de Farrell

Lérine – servante de Jasson et Sanya

Luca – fils de Bergeau et Catania

Mariesse – servante du château d'Émeraude

Morrison – forgeron et fabricant d'armes

Nartrach – fils de Falcon et Wanda

Proka – fille de Bergeau et Catania

Tuvneh – propriétaire du plus gros vignoble

Verne – homme de main de Jasson et Sanya

Le royaume d'Espérita

Aissa – ami de Sage

Galli – épouse de Sutton mère adoptive de Sage

Lunt – ami de Sage

Ness – jeune fille à qui Sage avait été promis

Payla – fille de Sutton et Galli

Sutton – père de Sage

Yanné – fille de Sutton et Galli

Le royaume de Fal

Firmon – serviteur du château

Le royaume des Fées

Altra – première Fée rencontrée par Chloé

Améliane – fille d'Ariane et du capitaine Kardey

Auréane – mère d'Éliane

Éleste – homme Fée

Éliane – née Miyaji, elle domptait des dragons pour l'Empereur

Jamie – homme Fée

Yakoba – homme Fée

Le royaume de Jade

Anji – grand-mère de Shenyann

Anyaguara – sorcière

Jianheng – grand-père de Shenyann

Myrialuna – fille de Fan et de Shill

Shenyann – fille naturelle du Roi de Jade

Le royaume d'Opale

Capitaine Kardey – autrefois chef des soldats d'Opale

Le royaume de Perle

Danian – chef de la garde du roi

Timka – dresseur et commerçant de chevaux

Le royaume de Zénor

Aumfa – père de Catania

Balhiss – sentinelle du royaume et ami de Bergeau

Gandir – chef de l'équipage du bateau qui vogua jusqu'à l'île des Lézards

Ivora – épouse de Tanner

Tanner – paysan

Habitants d'outre-mer

Amecareth

Empereur des Tanieths, des insectes ayant une forme humanoïde, Amecareth porte le même nom que son illustre père. Cependant, il est le premier maître d'Irianeth à s'en prendre aux humains. Le demi-dieu Listmeth lui ayant promis qu'un des enfants qu'il concevrait avec des femmes humaines aurait cent fois plus de pouvoirs que lui, Amecareth a engendré des centaines d'hybrides jusqu'à la naissance de Kira. C'est en voulant la reprendre qu'il fera face à la résistance coriace des habitants d'Enkidiev. Très lent à organiser ses pensées et à agir, il n'en demeure pas moins un fin stratège. Croyant que le temps joue en sa faveur, il subira une amère défaite aux mains des Chevaliers d'Émeraude.

Asbeth

Fils hybride de l'Empereur Amecareth et d'une femme-oiseau shaman de son peuple, Asbeth a été cueilli dès sa naissance par les soldats tanieths et ramené à la ruche où il a perfectionné sa sorcellerie. Il s'est vite heurté à la forte opposition des Chevaliers d'Émeraude et est devenu l'ennemi juré de Wellan lorsqu'il a lâchement assassiné son Écuyer Cameron. Chargé de ramener Kira à son père, le fourbe Asbeth fera tout en son pouvoir pour se débarrasser d'elle et ainsi lui voler le trône d'Irianeth. L'une de ses victimes se vengera ultimement de lui sur Irianeth, mettant fin à son règne de terreur.

Sélace

Fils hybride d'Amecareth et d'une femme-poisson, assassiné par Asbeth. Sélace avait la forme d'un requin et vivait dans l'eau, mais il était aussi capable de se déplacer sur la terre ferme en marchant sur ses deux appendices caudaux. Sa peau argentée était recouverte de petites écailles luisantes et il ne portait aucun vêtement. Il n'avait hérité d'aucun trait physique d'Amecareth, mais il possédait son esprit de conquérant et il n'avait aucune pitié. Ses pouvoirs magiques étaient étendus. Il fut rappelé comme sorcier auprès d'Amecareth en l'absence d'Asbeth.

Les hommes-insectes

Scarabées humanoïdes vivant en colonie sur Irianeth et d'autres mondes conquis par l'Empereur Noir. Certains Tanieths sont des ouvriers, d'autres sont des guerriers, dont les soldats d'élite, les soldats juvéniles et les scarabées argentés.

Les soldats d'élite

Ce sont des mâles énormes et leurs bras d'acier ont appris à manipuler la lance. Ils n'hésitent pas non plus à se servir de leurs griffes pour trancher la gorge des humains ou pour les éventrer. Contrairement à leurs congénères moins puissants, ils ne craignent pas de se battre en plein jour ou sous la pluie. Ils ne possèdent aucun pouvoir magique, mais leur peau noire et épaisse les protège contre l'énergie de nos mains. Ces insectes sont de véritables machines à tuer qui ne connaissent pas la pitié. Ils peuvent être occis en leur coupant les bras au coude, seule partie non protégée de leur anatomie. Des artères importantes passent au creux de leurs coudes, lorsque sectionnées, ils meurent rapidement. Bien que lents, les guerriers d'élite d'Amecareth sont très habiles avec leurs lances. Contrairement aux hybrides, ces créatures, conçues dans les pouponnières, n'ont aucune conscience propre.

Les soldats juvéniles (larves)

Il s'agit d'insectes beaucoup moins gros que les guerriers d'élite. Ils ne craignent ni le feu ni l'eau. Plus faciles à terrasser que les guerriers d'élite, ils sont par contre plus nombreux. Ils recherchent la chair humaine et ne s'attaquent aux animaux que s'ils n'en trouvent pas. Ils peuvent traverser les rivières et s'enfoncer sous la terre où ils creusent des tunnels lorsque la nuit tombe ou lorsqu'ils ont peur. Avant de devenir de vrais guerriers d'élite, les soldats juvéniles doivent incuber sous terre pendant quelques années. Ils entrent alors en nymphose. On leur donne le nom de nanoplieths. Lorsqu'ils émergent de terre après leur long sommeil de quatre ans, ils sont affamés. Leur carapace durcit à vue d'œil, les protégeant efficacement contre les épées des Chevaliers et contre le feu. Ces imagos ne se comportent pas comme une armée déterminée à conquérir un nouveau territoire. Ils ne veulent que se nourrir.

Les scarabées argentés

Ces soldats, récupérés dans les colonies, n'ont pas la même morphologie que les soldats d'élite. Ils sont mieux protégés par leur carapace et leurs bras ne peuvent donc pas être sectionnés. Toutes leurs articulations sont protégées par un allongement de carapace qui empêche leurs ennemis d'atteindre leurs tendons. Ils ont cependant un point faible : leurs yeux globuleux qui, une fois crevés, les vident de leur sang.

Les Midjins

Sous-race des insectes vivant sur Irianeth, ce sont d'habiles dompteurs de dragons. Jaunâtres, plus menus et plus agiles que les guerriers noirs, les Midjins escaladent sans effort les parois rocheuses du pays. Des milliers d'années plus tôt, l'empereur de l'époque a ordonné aux Midjins de recueillir les dragons mâles fraîchement éclos et de les maîtriser. Ils en ont fait un art. Les Midjins habitent des terriers creusés dans les falaises sur le bord de l'océan. Les mères, très protectrices, peuvent mettre en pièces un autre insecte qui s'approche de leurs œufs. Les Midjins habitent loin du palais, de l'autre côté de la falaise. On s'y rend en traversant les galeries où reposent les œufs des futurs ouvriers de la ruche.

Les rats géants

Complètement recouverts d'une fourrure épaisse, ces rats géants se déplaçait sur leurs pattes postérieures. Il était impossible de déterminer s'ils étaient mâles ou femelles. Leurs petites oreilles rondes étaient collées sur leurs têtes et des dents pointues dépassaient de leurs bouches. Leurs pattes étaient pourvues de longues griffes. Ils furent envoyés sur Enkidiev par Amecareth qui espérait les voir dévorer toutes les réserves de nourriture d'Enkidiev, laissant les humains sans ressources. Les rats affamés ont attaqués Opale, mais ils furent éradiqués par les Chevaliers d'Émeraude.

Les abeilles géantes

Aussi grosses qu'un homme adulte, ces abeilles possèdent six pattes velues et des ailes transparentes. Leurs yeux, de la taille des pamplemousses, sont couverts d'une multitude de petites facettes brillantes. Connaissant leur besoin de pondre leurs œufs dans la chair des mammifères, Asbeth a détruit la forêt où elles habitaient et fait souffler sur elles un vent violent pour les pousser vers Enkidiev.

Les hommes-sauterelles

Ce sont des insectes filiformes vêtus de pagnes brillants. Leur peau brunâtre ressemble à du cuir. Ils possèdent de longues jambes et de longs bras, une crinière blanche et soyeuse court du sommet de leur crâne allongé jusqu'au milieu de leur dos. Leur chef possède une crinière plus longue et plus fournie. Leur visage rectangulaire se termine par un menton prononcé. Sur le dessus de leur tête, de chaque côté d'une touffe de crin immaculée, se dressent deux longues antennes. Ils sont armés de harpons munis de barbelures acérées.

Les hommes-lézards

Les fiers et indépendants hommes-lézards sont des créatures humanoïdes verdâtres, un peu plus grandes qu'un homme. Elles ont des yeux noirs, ronds comme des billes et des dents pointues. Pas tout à fait reptilienne, leur tête a plutôt une forme humaine, sauf que leur nez ressemble à celui d'un serpent avec ses deux fentes parallèles. Leurs mâchoires puissantes peuvent se décrocher l'une de l'autre leur permettant d'avaler de grosses proies. Les hommes-lézards n'ont ni cils, ni sourcils, ni cheveux. Des rayures d'un vert plus prononcé courent sur leur crâne lisse. Les motifs crâniens diffèrent d'un individu à l'autre. Ils n'ont pas non plus d'oreilles à proprement parler, seulement deux petits trous de chaque côté de la tête. Le front est leur partie du corps la plus sensible, car la peau et le crâne y sont très tendres. Ces créatures marchent sur deux jambes, mais conservent leur équilibre à l'aide d'une longue queue de reptile traînant sur le sol. Ils ont cinq doigts aux griffes aussi larges que la lame d'un poignard. Les hommes-lézards ne portent pas de vêtements. Il est toutefois impossible de dire s'ils sont mâles ou femelles. Aucun organe reproducteur n'est apparent. Leur peau est composée de minuscules écailles verdâtres légèrement huileuses, plus dures sur le dos et les flancs que sur la poitrine. Tout le long de leur colonne vertébrale court une petite crête épineuse presque transparente. Les hommes-lézards ont accepté d'attaquer Enkidiev à la demande d'Amecareth, à la condition de pouvoir garder les femmes qu'ils y trouveraient parce que les leurs se mouraient d'un mal inconnu.

KASSERR

Chef des hommes-lézards, Kasserr a été sauvagement attaqué par Kira lors de ses raids sur la côte d'Enkidiev et il lui en tient toujours rancune. Toutefois, il ne peut qu'être reconnaissant envers le Chevalier Santo et les autres humains qui ont sauvé les femelles de leur île d'une mort certaine. Il a finalement eu la chance de leur montrer sa gratitude en leur venant en aide lors de l'attaque massive des scarabées argentés.

MIYAJI

Miyaji est une hybride, fille d'Amecareth et de la Fée Auréane. Elle a été élevée par les Midjins, mais ne leur ressemble d'aucune façon. Elle est une « seccyeth », ce qui veut dire dresseur de dragons dans la langue des Tanieths. Ses cheveux et ses yeux sont argentés et sa peau est bleue. Svelte créature portant un étrange vêtement noir moulant, elle montait Stellan, son dragon, en s'asseyant à la base de son cou, juste avant la naissance de ses ailes. Elle a appris l'art de dresser les dragons mâles auprès des Midjins. Très peu d'hybrides ont eu le privilège de dompter des dragons. Créature d'apparence humaine à la peau bleuâtre, Miyaji avait développé une véritable passion pour ces magnifiques prédateurs. Elle dirigeait Stellan en parlant directement à son cerveau. Elle fut capturée par Kira lors d'une attaque de l'empire contre Enkidiev. C'est à ce moment qu'elle a pris conscience de ses pouvoirs de guérison. Tout en soignant le Chevalier Derek, elle s'apprêtait à trahir ses nouveaux bienfaiteurs. C'est son amour pour le Chevalier Elfe qui l'a fit changer de camp. Lors d'une attaque par Akuretari, Asbeth et Stellan sur la forteresse d'Émeraude, Miyaji a prouvé son allégeance en repoussant son dragon. Elle considère toutefois que Asbeth lui a volé Stellan. Ayant renoué avec son peuple maternel, les Fées, Miyaji est devenue Éliane et a commencé à se comporter comme une Fée azurée, ce qu'elle a toujours été, en réalité.

Créatures

Les dragons noirs

Dragons femelles, ces créatures terrestres, recouvertes d'écailles noires, atteignent la taille d'une maison. Elles ont un long cou surmonté d'une petite tête triangulaire, une longue queue, et des pattes massives. Elles se nourrissent des organes et surtout du cœur de leurs proies. Les dragons noirs peuplaient tout le monde connu jusqu'à ce que Kira les extermine sur Enkidiev. Il y en a encore de grands troupeaux sur Irianeth.

Les dragons des mers

Créatures marines recouvertes de pelage blanc, de la taille de trois maisons. Elles ont un long cou surmonté d'une petite tête triangulaire, une longue queue et des nageoires massives. Elles se nourrissent surtout d'algues et de petits crustacés. Elles sillonnent surtout les mers du nord, mais il arrive qu'on les aperçoive plus au sud.

Les chevaux-dragons

Dragons ressemblant physiquement à d'énormes chevaux, en général noirs. La texture de leur robe ressemble à celle des chevaux, mais, au toucher, elle rappelle plutôt la peau des grenouilles. Leurs yeux s'allument de flammes rouges. Ils émettent des sifflements pour communiquer entre eux. Certains magiciens arrivent à leur transmettre des images mentales pour leur faire comprendre ce qu'ils veulent. Ils proviennent d'un pays lointain où une race d'hommes-sauterelles les utilisent pour chasser le gibier. Amecareth avait envoyé ces insectes attaquer Enkidiev avec leur chevaux-dragons, et, puisqu'ils n'avaient emmené que des juments-dragons, Hathir les a attirées et s'est enfui avec elles. Les juments forment désormais un troupeau d'au moins 300 têtes et paissent à l'est de la Montagne de Cristal. Elles n'aiment pas l'eau et n'ont aucun ennemi naturel sur Enkidiev, même les grands chats de Rubis ne les approchent pas. Ce sont des créatures intelligentes qui se considèrent égales aux humains. L'esprit des chevaux-dragons est collectif, un peu comme celui des hommes-insectes. Ce qu'un sait, ses congénères le savent aussi.

Hardjan

Cheval-dragon né à Enkidiev dans le troupeau capturé par les Chevaliers sur la côte et confié à Kira. Contrairement au reste du troupeau, Hardjan a des ailes. Il est devenu la monture du magicien Hawke lorsqu'il a décidé de prendre les armes.

Hathir

Cheval-dragon dont l'œuf s'est retrouvé avec les œufs de dragons lancés dans les rivières d'Enkidiev au début de la deuxième invasion. Hathir a été capturé par un dresseur de chevaux et ramené au Château d'Émeraude pour y être vendu. L'étalon s'est tout de suite attaché à Kira et, même s'il a été chassé du château, il a réussi à la retrouver au Royaume des Elfes. Ils sont alors devenus inséparables.

Pietmah

Jument-dragon née à Enkidiev dans le troupeau capturé par les Chevaliers sur la côte et confié à Kira. À la suggestion de Virgith, elle est devenue la monture du jeune Liam.

Staya

Jument-dragon née à Enkidiev dans le troupeau capturé par les Chevaliers sur la côte et confié à Kira. Contrairement au reste du troupeau où tous les animaux sont noirs, elle est devenue toute blanche. Staya a eu une vision de l'humain qu'elle devait servir et elle est venue jusqu'au Château d'Émeraude pour le trouver. Cet humain n'était nul autre que Hadrian d'Argent.

Virgith

Cheval-dragon né à Enkidiev dans le troupeau capturé par les Chevaliers sur la côte et confié à Kira. C'est Kira qui a présenté Virgith à Kevin afin qu'il lui serve de monture, les chevaux ordinaires s'étant mis à craindre le pauvre Chevalier alors empoisonné.

Les Sentinelles

Petits dragons qui gardent l'antre du Magicien de Cristal. Ramalocé est bleu et Urulocé est rouge. Ils ont été arrachés très jeunes à leur monde et n'ont l'un et l'autre pour seule compagnie. Ils se disent terribles, mais ils n'ont jamais fait de mal à personne.

Les Lotakieths

Dragons mâles autrefois montés par des hommes-insectes armés de lances ou par des Midjins. Ce sont d'énormes bêtes ailées recouvertes d'écailles toutes noires ressemblant à des lézards géants. Leurs pattes de devant sont arquées et leurs longs cous se terminent par une tête triangulaire percée de deux gigantesques yeux rouges brillant dans l'obscurité. Le feu ne les affecte pas. L'intérieur de l'oreille est, après les yeux, la partie la plus sensible de leur corps. Il existe très peu de dragons mâles sur Irianeth. De nature agressive, ces animaux territoriaux se battent jusqu'à la mort pour obtenir le droit de féconder les œufs des innombrables femelles qui parcourent les rives pierreuses de l'océan. Seules les femelles arrachent le cœur de leur proie pendant qu'il bat encore. Les lotakieths, quant à eux, préfèrent chasser leurs proies uniquement en terrain découvert. Le dragon mâle occis par Onyx lors du sauvetage de Kevin se nommait Goreth, il était le dragon favori d'Amecareth.

AUBÈRONE

Bébé dragon rouge, gros comme un petit mammifère avec des ailes sur le dos. Amecareth a offert ce dragon à Sage pour l'aider à vaincre sa peur des dragons. Les dragons mâles grossissent à une vitesse effarante et réclament sans cesse de la nourriture, sans se soucier des habitudes de sommeil de leurs maîtres. Encore bien jeune, Aubèrone ne peut pas s'élever dans les airs avec ses petites ailes. Il sautille donc sur ses longues pattes et grimpe partout avec ses griffes. Un matin, Sage l'avait même trouvé suspendu au plafond de son alvéole.

STELLAN

Dragon mâle adolescent élevé par la Fée azurée Miyaji, puis repris par Asbeth afin qu'il serve son maître Amecareth. Après avoir été blessé par une flèche de Cassildey, Stellan a été secouru par le jeune Nartrach auquel il s'est attaché.

TROISIÈME PARTIE
L'ORDRE

L'historique

L'Ordre des Chevaliers d'Émeraude a d'abord été fondé par le Magicien de Cristal, sous le règne du Roi Jabe d'Émeraude, lorsque l'Empereur Amecareth a fait une première incursion sur Enkidiev. L'Empereur était alors à la recherche d'un petit garçon mauve qu'il avait conçu sur ce continent et qui était mille fois plus magique que lui.

Les premiers Chevaliers furent surtout choisis pour leurs qualités guerrières. Le Magicien de Cristal leur a accordé de puissants pouvoirs magiques pour repousser les hommes-insectes et leurs dragons et a nommé à leur tête le Roi Hadrian d'Argent. C'est en combattant les guerriers noirs que le Roi Hadrian rencontra le jeune soldat d'Émeraude qui allait changer sa vie. Ce soldat s'appelait Onyx. Il se battait comme un lion et n'était nullement intimidé par les monstres qui venaient de mettre pied chez lui. Lorsque les scarabées furent enfin refoulés à la mer et que les sorciers d'Amecareth furent anéantis, le Magicien de Cristal exigea que les soldats qui avaient survécu abdiquent leurs pouvoirs. Très peu le firent. La plupart voulurent garder ces facultés qui leur donnaient un net avantage sur leurs semblables. Le Magicien de Cristal fut contraint d'éliminer ceux qui tentaient de détrôner les rois d'Enkidiev. Les autres s'entretuèrent. Un seul lui échappa : le Chevalier Onyx. L'Ordre cessa d'exister et commença la reconstruction des royaumes où les dragons avaient semé la mort et la dévastation.

Cinq cents ans plus tard, le magicien Élund découvrit la prophétie en observant le ciel. Il fit part de ses observations au Roi Émeraude 1er et, ensemble, ils décidèrent de ressusciter l'Ordre. Cette fois, au lieu de demander au Magicien de Cristal d'accorder des pouvoirs magiques à des soldats, ils se mirent à la recherche d'enfants magiques qu'ils éduqueraient eux-mêmes. Mais ne serait pas Chevalier qui le voulait. Ils dressèrent une longue liste de qualités qu'un enfant devrait posséder en bas âge. L'aspirant pourrait être fille ou garçon, pourvu qu'il affiche un tempérament honnête et courageux et des aptitudes à communiquer avec le monde invisible. Le roi désirait que ses Chevaliers puissent étudier sous la tutelle de son vieux complice, le magicien Élund, et apprendre à maîtriser leur environnement, lire les signes dans le ciel et se battre loyalement.

Ils commencèrent donc leur vie de Chevalier dans les salles de classe du château que le roi entendait léguer à l'Ordre puisque le destin le laissait sans héritier. Les futurs défenseurs de la justice étudièrent sans arrêt jusqu'à l'âge de onze ans, auquel moment ils se consacrèrent davantage à l'art de la guerre auprès des soldats du roi. À l'âge de vingt ans, ils devinrent enfin Chevaliers et prirent de jeunes Écuyers sous leur aile.

Le Roi déterra l'ancien code de chevalerie de la bibliothèque et l'adapta aux temps modernes. Il le fit même graver en lettres d'or sur les murs de la grande cour de son château et envoya des messagers le proclamer aux quatre coins du continent.

Ils n'étaient que sept au début, mais leur nombre augmenta rapidement. Ils étaient les nouveaux Chevaliers d'Émeraude.

LES ARMOIRIES DE L'ORDRE

SUR L'ÉCU

Le dragon terrassé :	Il signifie la victoire de l'esprit sur la matière, du bien sur le mal, de la lumière divine sur les ténèbres infernales. Il signifie aussi le don de la prophétie, la recherche de la connaissance et la découverte de son propre chemin.
Les croissants de lune :	Ils représentent la force magique des Chevaliers et neutralisent le dragon au centre.
La croix celte :	C'est le symbole des Chevaliers d'Émeraude. Elle représente le corps humain, son âme et ses niveaux de conscience. Les émeraudes signifient les degrés de connaissance qu'ils doivent posséder.
Le carré :	Il sépare l'écu de la tête et signifie l'opposition des contraires, ici entre les croissants de lune (les Chevaliers et le bien) et le dragon (le mal ou l'Empereur).

SUR LE CIMIER

Le Château d'Émeraude :	Il représente le refuge, la place forte des Chevaliers.
Le phénix :	Cet oiseau mythique vit 500 ans, bâtit son bûcher funéraire, est consumé par les flammes et renaît de ses cendres, donc l'Ordre d'Émeraude.
Le feu :	Il symbolise la transformation de l'énergie.

SUR LES TENANTS

Les cerfs :	Ils représentent des médiateurs, la sagesse, la régénération et la croissance. Ils ne se battent que s'ils sont provoqués. Ils aiment la musique et l'harmonie.

LES COULEURS

Le jaune :	Il symbolise la noblesse, l'intelligence, la vertu, la beauté, la majesté, la générosité, l'élévation de l'esprit et le principe divin se manifestant dans la matière.
Le vert :	Il symbolise l'eau, la liberté, la joie, la santé, l'espoir, l'honneur, la loyauté en amour et il est relié à la nature.
Le rouge :	Il symbolise l'énergie circulant dans le corps, les émotions fortes, le désir de servir la patrie et l'amour. Il représente aussi le guerrier, la force militaire et la magnanimité.
Le noir :	Il symbolise la mort, le mal, le deuil, le monde souterrain, la tristesse et le mystère.
L'orange :	Il symbolise le désir de changer les choses pour le mieux.
Le brun :	Il symbolise la patience au combat et la victoire finale.

Les fanions

Les armoiries de l'Ordre ne figurent pas sur les fanions. On n'y trouve que la croix celte dorée sur fond vert, tout comme sur la cuirasse des Chevaliers d'Émeraude.

L'enseignement

Dès leur arrivée, les enfants magiques commencent leurs leçons auprès du magicien du Château d'Émeraude. Les premières générations ont étudié auprès de maître Élund et les dernières auprès de maître Farrell et de maître Hawke. Ils apprennent surtout à lire et à écrire et découvrent leurs pouvoirs. Une fois qu'ils sont capables de lire la langue moderne, ils commencent à apprendre les langues anciennes et les rudiments de la magie. Ils s'entraînent à canaliser l'énergie dans leurs mains.

La dernière année avant de devenir Écuyer, ils sont capables de lire, d'écrire, de déchiffrer des textes anciens, de comprendre l'utilité limitée des potions, de lire les pensées de leurs camarades, de faire bouger des objets sans les toucher et de lancer des rayons de lumière avec leurs paumes.

Seul maître Farrell a enseigné à ses élèves à communiquer de façon individuelle entre eux, sans que toutes les créatures magiques puissent les entendre, à se déplacer magiquement sur de courtes distances et à se rendre invisible en ralentissant leur force vitale.

La hiérarchie

La hiérarchie n'est écrite nulle part, mais elle est respectée de tous.

Dieux
Immortels et maîtres magiciens
Magiciens
Rois et Reines
Princes et Princesses
Chevaliers
Écuyers
Le peuple

Le serment de l'ordre

Tu as désormais quitté le sentier du doute pour marcher sur celui de la lumière. Tu es désormais un Chevalier d'Émeraude et ton nom n'est plus ___ ________________________________, mais le Chevalier ______________________ d'Émeraude. Garde ton corps et ton esprit toujours purs. N'entretiens aucune pensée négative ou inutile dans ton cœur et fais-y plutôt croître ton amour pour Enkidiev et tous ses habitants. Ne cherche pas seulement la connaissance dans les livres, mais aussi dans tout ce qui t'entoure. Apprends à ressentir l'énergie dans tout ce qui vit. Partage ce que tu sais avec ceux qui cherchent comme toi, mais soustrais ton savoir mystique aux regards de ceux qui ont des penchants destructeurs. Méfie-toi de ceux qui cherchent à te dominer ou à te manipuler. Sois vigilant face à toute personne qui souhaite te détourner de ton sentier pour sa gloire ou son avantage personnel. Ne te moque jamais des autres, car tu ne sais jamais qui te surpasse en sagesse ou en puissance. Que tes actions soient honorables, car le bien que tu feras te reviendra au centuple. Honore tout ce qui respire, ne détruis pas la vie sauf si tu dois défendre la tienne. Maintenant répète après moi : « Je prends l'engagement de suivre avec honnêteté les règles du code de chevalerie et de travailler avec toute l'ardeur et le courage dont un Chevalier doit faire preuve à servir la paix et la justice sur tout le continent et même sur les pays non encore découverts. Je m'engage aussi à maîtriser ma colère, ma peur et ma hâte en toutes circonstances et à faire appel aux dieux lorsque je dois prendre des décisions ou aider mon prochain. » Tu es désormais un Chevalier d'Émeraude. Que les dieux te prêtent longue vie.

LE CODE D'ÉMERAUDE

Ne deviendra Chevalier d'Émeraude et héritier du continent tout entier que celui ou celle qui affiche un tempérament honnête et courageux, possède des aptitudes à communiquer avec le monde invisible et honore les règles du Code d'Émeraude. En ta qualité de Chevalier :

1. Respecte l'autorité et ceux qui placent leur foi en toi.
2. Ne trahis jamais la confiance de tes compagnons d'armes.
3. Ne mets jamais l'Ordre ou tes compagnons d'armes dans l'embarras.
4. Chasse le mensonge de ta vie à jamais.
5. Respecte ta parole et ne la donne pas à la légère.
6. Sois loyal envers les gens avec qui tu t'engages et les idéaux que tu as choisis.
7. Ne fais jamais de remarques désobligeantes envers tes compagnons d'armes.
8. Sois poli, courtois et attentif quoi qu'il arrive.
9. Fais toujours preuve d'une grande maîtrise de toi.
10. N'affiche aucune arrogance autant en présence des rois que des gens du peuple.
11. Comporte-toi avec noblesse et donne le bon exemple.
12. Recherche toujours l'excellence dans toutes tes entreprises.
13. Garde la foi et ne cède jamais au désespoir.
14. N'utilise ta force que pour servir le bien, jamais dans un but de gratification personnelle.
15. Fais régner la justice où que tu sois, mais demeure humain et miséricordieux.
16. Ne vante jamais tes propres mérites, laisse plutôt les autres le faire à ta place.
17. Respecte la vie et la liberté en tout temps.
18. Protège les faibles et les innocents où qu'ils se trouvent et viens-leur en aide si tu le peux.
19. Soulage la souffrance et l'injustice.
20. Sois généreux avec ceux qui sont dans le besoin.
21. Sois prêt à faire des sacrifices pour servir la vérité en toutes circonstances.
22. Dans le respect des règles du combat, repousse tous ceux qui tentent de s'emparer de nos terres ou de voler nos gens.
23. Ne réponds à la provocation que si elle met ta vie en danger.
24. Ne recule jamais devant l'ennemi et n'attaque jamais un adversaire désarmé.
25. N'abandonne jamais un frère ou un allié sur le champ de bataille.
26. N'éduque qu'un seul Écuyer à la fois pendant toutes les années de son apprentissage.
27. Ne te sépare jamais de ton Écuyer.
28. Respecte ton Écuyer et protège-le contre tous les dangers.
29. Transmets ta science et tes belles valeurs à ton Écuyer avec honnêteté et simplicité.
30. Fais-le savoir si tu crois qu'un enfant mérite de devenir Écuyer et qu'il n'a pas été choisi par le magicien d'Émeraude.
31. N'unis ta vie à ton âme sœur que lorsque ton Écuyer sera devenu Chevalier.

LES ARMURES

LE CHEVALIER

Le Chevalier porte des braies noires, une tunique verte, une armure en cuir vert où la croix de l'Ordre est gravée en or et décorée d'émeraudes, une ceinture de cuir brun où pendent sa dague et son épée, une cape verte et des bottes de cuir brun.

L'ÉCUYER

L'Écuyer porte des braies noires, une tunique verte, une ceinture de cuir brun décorée d'émeraudes, où pendent sa dague et son épée et des bottes de cuir brun.

Les armes

Les Chevaliers et les Écuyers utilisent surtout leurs pouvoirs magiques lorsqu'ils se battent, mais lorsqu'ils sont contraints, ils utilisent l'épée, le poignard, l'arc et la lance.

Les chevaux

Avant que les Chevaliers commencent à se déplacer à l'aide des vortex, ils comptaient surtout sur leurs destriers pour se rendre là où ils désiraient aller. Ces chevaux étaient spécialement dressés pour eux. Lorsque leurs maîtres s'apprêtaient à utiliser les pouvoirs magiques de leurs mains, ils baissaient l'encolure, même au galop, pour ne pas obstruer leur champ de vision. Ils connaissaient aussi leurs noms et répondaient aux ordres vocaux.

LE ROI ÉMERAUDE 1ER

Avec l'aide du magicien d'Émeraude, Élund, Émeraude 1er a ressuscité l'Ordre des Chevaliers d'Émeraude tel qu'on le connaît aujourd'hui.

QUATRIÈME PARTIE

LES VALEURS DES CHEVALIERS

LES VALEURS

Les Chevaliers mettent en pratique un éventail de valeurs, mais les principales sont le courage, l'honneur, la justice, l'honnêteté, le respect, la fraternité, le service et la volonté de s'améliorer. Les Chevaliers ne sont pas des hommes et des femmes qui naissent avec toutes ces qualités : ils les acquièrent.

À l'âge de 11 ans, les élèves magiques deviennent Écuyers d'Émeraude. C'est à ce moment qu'ils commencent à appliquer les valeurs de l'Ordre qu'ils ont apprises auprès des magiciens. Ils les développent auprès des Chevaliers qui ont accepté de les prendre sous leurs ailes et à qui ils devront le plus grand respect.

Tous les Chevaliers ont des tempéraments différents, mais tous prônent les mêmes valeurs. Cependant, ils ne les enseignent pas tous de la même façon.

Une fois ces valeurs intégrées, ils deviennent Chevaliers à leur tour et deviennent des mentors pour d'autres Écuyers. Et la roue continue de tourner, aidant à rendre leur monde meilleur.

* COURAGE * HONNEUR * JUSTICE * HONNÊTETÉ
* RESPECT * FRATERNITÉ * SERVICE
* VOLONTÉ DE S'AMÉLIORER

Les Chevaliers ont choisi parmi ces valeurs les trois plus importantes à leurs yeux et en ont fait leur devise : « Courage, Honneur et Justice ». Mais l'honnêteté, le respect, la fraternité, le service et la volonté de s'améliorer sont sous-entendus dans cette devise.

LE COURAGE

Le Chevalier d'Émeraude a le courage de vivre selon ses convictions. Il sait que la peur est l'antithèse de l'amour. Puisqu'il est d'abord et avant tout un être rempli d'amour pour son prochain, il combat sans cesse ses peurs. Il n'est pas pour autant téméraire. Il sait quand il peut ou doit agir, et quand il doit s'en abstenir. Bien souvent, le courage implique de reculer et de laisser passer la tempête.

L'HONNEUR

Le Chevalier d'Émeraude a une bonne estime de lui-même sans pour autant être hautain. Son comportement doit lui valoir la considération et l'estime des autres sur le plan moral. Il n'agit jamais pour s'attirer de la gloire personnelle. Il agit lorsque le bien commun est menacé et il le fait de façon humble et discrète. Il ne recherche jamais la gloire.

La justice
Le Chevalier d'Émeraude respecte la justice en tout lieu. Il la fait régner partout où il passe. Il n'a pas besoin de la faire respecter par la force. En fait, un Chevalier n'utilise la force que lorsque sa propre vie est menacée. Dans toute autre situation, il se sert de son intelligence, de son adresse, de sa finesse, de son habileté, de sa souplesse et de sa diplomatie. Un Chevalier d'Émeraude possède une appréciation intuitive, spontanée et délicate de ce qu'il convient de dire, de faire ou d'éviter dans les relations humaines. Il se sert donc de cette qualité pour faire respecter la justice.

L'honnêteté
Le Chevalier d'Émeraude est foncièrement honnête envers les autres et envers lui-même. Il se conforme aux principes de la probité, du devoir et de la vertu. Il est irréprochable dans sa conduite et ses mœurs sont pures. Par son exemple, il incite les autres à faire preuve eux aussi d'honnêteté en tout temps.

Le respect
C'est la valeur fondamentale de l'Ordre d'Émeraude. Non seulement le Chevalier se fait respecter par sa conduite, mais il affiche également du respect pour ceux qui sont plus sages et plus expérimentés que lui. Il fait aussi preuve de respect envers ses semblables et il les traite toujours avec courtoisie. C'est la première valeur qu'il doit inculquer à son Écuyer.

La fraternité
Ce qui frappe tout de suite les lecteurs de la saga, c'est le lien particulier qui unit tous les Chevaliers d'Émeraude. Il existe entre eux un sentiment réciproque d'affection qui ne se fonde ni sur les liens du sang, ni sur l'attrait sexuel. Les Chevaliers entretiennent entre eux des rapports amicaux. Cette bonne entente engendre un climat de paix et d'harmonie qui rend toutes leurs actions productives.

Le service
Le but de la vie d'un Chevalier d'Émeraude est le service. Il se met volontairement à la disposition des autres, le plus souvent bénévolement. Mais il sait aussi quand il doit procurer un avantage à une autre personne et quand il doit s'abstenir de le faire. Parce qu'il est capable de voir plus loin que la plupart des gens, s'il sent que le service qu'on lui demande risque de mettre son prochain dans l'embarras ou si ce service va à l'encontre de la justice, il refusera de rendre ce service en explication la raison de son refus.

La volonté de s'améliorer
Le Chevalier d'Émeraude n'est pas un être parfait. Il connaît ses forces et ses faiblesses et il consacre beaucoup de temps et d'efforts à surmonter ces dernières. Il s'améliore au moyen de la méditation, cet art réflexif que privilégie l'Ordre, ou en recourant aux conseils d'un sage ou d'un mentor.

COURAGE
HONNEUR
JUSTICE

CINQUIÈME PARTIE
LA MAGIE

La méditation

La force des Chevaliers d'Émeraude ne provient pas uniquement de leurs muscles. Elle émane surtout d'une bonne relation entre leur mental et leur corps physique. Tout comme le corps a besoin d'exercice pour se garder en forme, l'esprit doit aussi se ressourcer. Les Chevaliers rétablissent leur équilibre mental par la méditation.

Pour méditer, il faut trouver un endroit calme où personne ne pourra nous déranger pendant au moins cinq minutes. En position assise ou debout, il faut ralentir sa respiration et chasser toute pensée obsédante afin d'atteindre à l'intérieur de soi un lieu de notre choix qui nous stimulera et nous redonnera du courage. Pour le Chevalier Wellan, c'était une caverne de cristal, pour le Chevalier Santo, c'est le bord d'un étang où coule une chute multicolore. Chacun a dans son cœur son propre oasis de paix.

La purification

Les Chevaliers d'Émeraude se purifient tous les matins en prenant un bain. Non seulement ils lavent ainsi leurs corps, mais ils purifient le champ d'énergie qui les entoure, leur permettant de faire appel plus rapidement à leurs pouvoirs magiques durant le reste de la journée.

Les pouvoirs magiques

Les Chevaliers d'Émeraude possèdent à peu près tous les mêmes pouvoirs, mais certains les maîtrisent mieux que d'autres.

Ils peuvent communiquer entre eux par télépathie, ressentir un danger imminent, localiser quelqu'un ou quelque chose en étendant leur champ d'énergie aussi loin qu'ils le peuvent, faire bouger des objets sans les toucher, projeter divers types de rayons avec leurs paumes (rayons incendiaires, ardents, brûlants, etc.) et en varier l'intensité et la taille, et même maîtriser les forces de la nature.

Seuls quelques-uns peuvent arrêter la pluie ou la faire tomber, trouver de l'eau dans le sol, se déplacer magiquement sans l'aide des bracelets noirs, et communiquer avec une personne à la fois par voie de télépathie.

La signification des pierres

L'ÉMERAUDE : L'émeraude est la plus puissante des pierres précieuses. Symbole de régénération et de vie, l'émeraude aide à acquérir une âme lumineuse. Elle dispense la paix et l'harmonie au cœur, au corps, à l'âme et à l'esprit. Elle émet constamment des vibrations qui soignent, qui équilibrent et qui permettent à celui qui cherche l'inspiration de s'accorder avec l'environnement et de se concentrer en toute quiétude. Elle est aussi le symbole de l'abondance et de la richesse.

LE DIAMANT : Le diamant est associé à la perfection. Il résiste à la force du mal, empêche les guerres et la discorde. Il constitue aussi une protection contre le poison et toutes les tentations de l'imagination et de l'esprit mauvais. Il symbolise la lumière, la vie, la constance en amour, la sincérité incorruptible et la plus grande pureté.

L'OPALE : L'opale élève le niveau de conscience. Elle transmet à notre corps physique vitalité, énergie, puissance et endurance. Elle développe aussi l'intuition dans le domaine de l'entendement.

LE RUBIS : Le rubis symbolise le cœur et il a une puissance purificatrice. Il chasse les maladies et éloigne la mélancolie, la morosité et les mauvais rêves. Le rubis vivifie le corps tout entier. Ses vibrations stimulent, réchauffent et régularisent la circulation du sang. Il symbolise également la grâce impériale et l'amour passionné. Il rend heureux et affermit le cœur.

LE JADE : Le jade est le symbole de la paix et de la sérénité. L'effet de ses vibrations durent très longtemps et éveille la conscience. Il n'absorbe aucune vibration négative, mais émet un rayonnement positif permanent et des ondes harmonieuses qui guérissent.

LE BÉRYL : Le béryl est la pierre des mystiques et des prophètes. Son influence est subtile, toute en douceur, mais elle dure très longtemps. Il stabilise l'émotivité et équilibre les activités physique et mentale. Pierre purificatrice par excellence, elle élimine les pensées impures. Le béryl aide à conserver la pureté et l'innocence du cœur et de l'esprit.

LA TURQUOISE : La turquoise symbolise l'âme qui veut s'élever et s'améliorer. Elle est à la fois sagesse de la matière et de l'esprit. Elle protège les souverains et les chefs du mal et les aide à prendre de bonnes décisions.

LA PERLE : La perle symbolise notre développement et notre lutte pour maîtriser notre vie intérieure. Symbole de l'initiation, du sacrifice et de l'amour, la perle nous enseigne à nous libérer de nos idées préconçues, de nos émotions et de nos mauvaises habitudes. Elle absorbe l'énergie négative et la renvoie à celui qui nous l'a envoyée.

LE CRISTAL : Le cristal représente le plan intermédiaire entre le visible et l'invisible. Il est le symbole de la divination, de la sagesse et des pouvoirs mystérieux. On lui accorde aussi des pouvoirs de clairvoyance.

Sixième partie
Les mondes célestes

Le palais de Parandar

Parandar habite un grand palais de marbre blanc auquel on accède de tous côtés par un escalier de larges marches. Le palais de forme circulaire se situe au centre. Il n'y a pas de murs, mais de hautes colonnes qui supportent une coupole. De longs voiles sont tendus entre les colonnes, créant des alcôves tout autour de la pièce centrale où Parandar tient sa cour.

Les rotondes des dieux

Les dieux habitent des versions plus petites du palais de Parandar un peu partout dans leur vaste monde. Il n'y a pas de frontière dans leur univers, mais ils ont tendance à ne pas trop s'éloigner du palais.

Le monde des Immortels

Les Immortels habitent un monde qui se situe sous celui des dieux et auquel ils ont accès par un sinueux sentier qui monte vers leur monde. Comme il y a très peu d'Immortels, leur univers leur semble démesurément grand.

Les plaines de lumière

Lorsqu'ils meurent, les mortels flottent dans l'espace pendant un moment, puis sont aspirés par le portail du monde des morts. Ils traversent l'antichambre en suivant un sentier de petites pierres blanches bordé d'arbres de cristal et d'énormes pierres précieuses. Le sentier les conduit devant les énormes portes dorées gardées par des dieux. Ces derniers rassurent les trépassés avant d'ouvrir les portes et de les conduire sur les grandes plaines de lumière où les attendent leurs ancêtres et leurs amis décédés. Sur ces plaines, il y a des rivières, des forêts, des collines, des ravins et même un océan, de façon à ce que les défunts ne se sentent pas désemparés.

Les dieux conduisent les nouveaux arrivants dans le secteur où ceux de leur race jouissent du repos éternel. Petit à petit, ils oublient le choc de leur mort, leurs soucis, leurs peurs et leurs ennuis et ils sont enfin en paix.

SEPTIÈME PARTIE

LITTÉRATURE

Le journal d'Onyx

En l'an 44 de la 22e Dynastie d'Émeraude

Je m'appelle Onyx, fils de Saffron le meunier. Je suis né dans un petit village très éloigné du Château d'Émeraude, gouverné à l'époque par le Roi Jabe, un monarque juste, mais couard.

Étant le septième fils d'un homme prospère qui pouvait déjà compter sur les aînés pour faire fonctionner son moulin et entretenir ses terres, il fut décidé que j'apprendrais à lire et à écrire afin de consigner les transactions de la famille et assurer la correspondance avec les conseillers financiers du roi. Je savais que je n'étais pas fait pour travailler la terre ou transporter des sacs de farine, mais je ne voulais pas non plus devenir un érudit. Je rêvais d'être commandant d'armée. Mais pour servir ainsi le royaume, il fallait provenir d'une famille noble. La mienne était à l'aise, tout au plus. Je me suis plié à la volonté de mon père, surtout par crainte, car les sanctions qu'il imposait à ceux qui lui résistaient étaient très sévères. J'ai donc commencé mes classes avec un maître à la maison, puis, lorsqu'il ne sut plus rien m'enseigner, mon père me fit admettre au château pour que je poursuive mes études auprès de Nomar.

Il m'a aussitôt indiqué les différentes sections de la bibliothèque et m'a défendu de lire certains volumes qu'il disait trop dangereux pour mon jeune esprit. Évidemment, la nuit, lorsque tout le château dormait, je me faufilais jusque-là et j'en dévorais quelques passages à la fois.

La connaissance est l'arme la plus dangereuse. Ces bouquins contenaient des renseignements prodigieux, non seulement sur Enkidiev, mais sur tous les autres continents du monde. J'ai appris que nous sommes entourés de civilisations étranges qui jouent un rôle précis dans le fonctionnement de l'univers. Et ces mondes n'ont même pas conscience de l'existence de leurs voisins.

J'ai tout de suite été attiré par les livres qui racontaient les sanglantes conquêtes par l'Empereur Noir du continent appelé Irianeth. Je crois qu'au fond de moi dormait déjà une puissante ambition de posséder mon propre royaume, mais je n'étais qu'un paysan à qui on avait accordé le grand privilège de vivre au château. J'étais assuré de ne rien recevoir de mon père à sa mort, rien qui me permettrait d'acheter ma propre maison. Son moulin, ses terres et sa fortune iraient à mes frères qui les avaient fait fructifier. À moi, il ne léguerait que le savoir : un vaste empire où je régnerais seul.

Finalement, ce n'est ni le maître ni le roi, mais ma connaissance approfondie de l'esprit d'Amecareth qui m'a permis de m'élever au-dessus de ma condition. Lorsque Nomar a quitté le château sans annoncer où il allait, ses habitants n'ont pas remarqué que je n'étais pas parti avec lui. J'ai donc passé plusieurs semaines à lire en paix et à me rassasier la nuit dans les cuisines du palais. Mais je n'allais pas devenir un homme important en vivant comme un rat. À la mort de mon père, j'ai pris femme dans mon village, comme l'exigeait son testament. Mais puisque je n'étais plus tenu de lui obéir pour le reste, j'ai falsifié mes lettres de référence et je me suis enrôlé dans l'armée afin de nourrir ma nouvelle famille. Je ne pouvais pas devenir commandant, parce que je ne possédais pas de fortune, mais j'aurais au moins la chance de me faire remarquer en tant que simple soldat.

L'exercice physique étant un excellent contrepoids à un surplus d'activité mentale, mon entraînement militaire me fit le plus grand bien. Je maniais les armes de façon naturelle, mais je ne me battais jamais pour le plaisir. Chaque fois que je croisais le fer avec un adversaire, c'était pour le vaincre et l'écraser à mes pieds. J'ai donc acquis la réputation d'un soldat sans pitié et cela me fit rapidement monter en grade. J'étais devenu le bras droit du commandant en chef de l'armée d'Émeraude lorsque notre devoir militaire nous conduisit au Royaume d'Argent, où un grand nombre de paysans avaient mystérieusement été tués en une seule nuit par un ennemi insaisissable qui leur avait arraché le cœur. Nous ignorions à l'époque que ces premières agressions des insectes allaient se transformer en véritable invasion.

Ma rencontre avec le Roi d'Argent fut probablement le tournant le plus important de ma vie. Hadrian était un jeune monarque, beaucoup plus près de son peuple que tous ses prédécesseurs. Il ne se contentait pas de régner en sécurité dans son grand palais sur la colline, d'où on pouvait voir l'océan. Il avait appris à se battre et à monter à cheval. Sa majesté était la même au milieu d'un combat et lorsqu'il recevait sa cour dans ses beaux habits. Ce n'est pas de l'amitié que j'éprouvai d'abord pour lui, mais de l'envie. Il avait tout ce que je rêvais de posséder. Né riche et puissant, il mourrait riche et puissant. Je n'étais qu'un soldat d'Émeraude parmi tant d'autres, érudit, certes, mais vêtu des mêmes loques que tous mes compagnons d'armes. Mon seul bien précieux était mon épée. J'avais dépensé toute ma solde pour faire forger cette arme bénie par les dieux eux-mêmes.

Parce que je ne venais pas d'une famille noble, j'admirais Hadrian de loin. Je me sentais indigne de respirer le même air que lui. Mais un soir, malgré toutes mes précautions, le destin nous réunit. En pleine nuit, sous le couvert d'épais nuages, les insectes ont débarqué avec leurs terribles dragons sur la plage du Royaume d'Argent où nous avions établi notre camp. Dès qu'il a su que les combats s'étaient engagés, le roi s'est précipité à notre aide avec ses propres soldats. Tout comme moi, Hadrian était un homme sans peur et un puissant guerrier. En peu de temps, nous nous sommes retrouvés au front, presque dos à dos, à abattre tout ce qui se trouvait devant nous. Heureusement, il ne s'agissait que d'un petit groupe d'éclaireurs de l'Empereur, sinon, nous aurions tous été massacrés.

Les soldats-insectes furent faciles à tuer, mais leurs bêtes de combat se montrèrent plus coriaces. Elles nous attaquaient en lançant leurs longs cous devant elles. Seules les épées magiques comme la mienne parvinrent à leur trancher la tête au moment où leurs crocs s'enfonçaient dans le corps de leurs victimes. Beaucoup d'hommes périrent avant que tous ces monstres soient abattus. Le soleil se levait lorsque je me surpris à découper en rondelles le cou du dernier dragon, jusqu'à son poitrail, en poussant des cris de rage qui se répercutèrent très certainement jusqu'à Zénor.

Vidé de toutes mes forces et maculé du sang noir de nos ennemis et du sang rouge de mes compagnons, j'ai laissé tomber mon épée dans les galets. C'est à ce moment que j'ai aperçu Hadrian, debout à quelques mètres de moi, en tout aussi piteux état. Il tenait encore son arme, mais elle était devenue si lourde pour son bras épuisé que la pointe traînait sur le sol. Il m'a alors salué d'un mouvement de la tête. Je n'ai même pas eu le courage de lui répondre. Au lieu de rendre hommage à ce brave roi guerrier, j'ai tourné les talons et j'ai marché comme un idiot en direction de l'océan. Je ne savais plus ce que je faisais. Je ne savais plus qui j'étais.

Je crois que je suis tombé dans l'eau. Je ne sais pas si j'ai perdu conscience avant ou après m'être abîmé dans les vagues. Je ne me suis réveillé que le lendemain, nu comme un ver, dans des draps de satin. La chambre où je me trouvais était la plus somptueuse qu'il m'ait été donné de voir : autour de moi, il y avait de belles tapisseries tissées de bleu et d'argent, des statues de déesses et de dieux, des vases précieux contenant des fleurs fraîches qui embaumaient toute la pièce. Ce lit était si confortable que je ne voulais plus le quitter. On m'avait lavé et mes quelques blessures n'étaient que superficielles. Elles guériraient avec le temps. Nous ne savions pas encore comment les traiter nous-mêmes à l'époque. Nous l'avons appris plus tard avec Abnar.

Cette chambre était celle du Roi d'Argent et ses propres serviteurs exauçaient mes moindres désirs. Moi, le fils du meunier devenu érudit puis soldat, j'étais soigné dans la demeure d'un grand roi. On m'avait parfumé la peau et lavé les cheveux. Il y avait là de la nourriture en si grande quantité que je ne pourrais évidemment pas tout manger, mais mon cœur était heureux juste à la regarder. C'est alors que le Roi Hadrian est arrivé. Il portait des vêtements noirs sertis de pierres précieuses. Une chaîne d'argent ceignait sa tête et des bracelets brillants ornaient ses poignets. Il était grand et robuste : un véritable seigneur.

J'ai voulu me prosterner sur le sol, mais le roi m'a saisi par les épaules, puis m'a serré contre lui en riant de bon cœur. Il m'a dit qu'il avait enfin trouvé un frère sur le champ de bataille et qu'il ne pourrait plus jamais se passer de moi. Il m'a donné des vêtements neufs, car ses domestiques avaient brûlé mes loques. J'ai d'abord pensé qu'autant de bonté cachait quelques sombres desseins, mais tout ce que le Roi d'Argent voulait en retour, c'était l'amitié d'un compagnon d'armes de sa trempe. J'ai donc porté les couleurs de son royaume, même si j'étais un soldat d'Émeraude. Hadrian m'a fait cadeau d'une tunique entièrement composée de petits anneaux de métal que seule une épée puissante pouvait traverser.

Nous avons dès lors combattu côte à côte sur les plages des Royaumes d'Argent et de Cristal. Les soldats-insectes étaient de plus en plus nombreux et audacieux. Ils continuaient de faire débarquer leurs dragons sur le continent. Alors les hommes de Cristal, tous de vaillants guerriers, nous ont enseigné à piéger ces bêtes. Tandis que nous creusions les trappes à la sueur de nos fronts, le Magicien de Cristal nous est apparu. Il nous a parlé d'Amecareth, qui entendait dominer le monde. L'Empereur des insectes était beaucoup plus ambitieux que son prédécesseur. Non seulement il voulait conquérir toutes les autres races de l'Univers, mais il avait également l'intention de les anéantir afin de s'emparer de leurs terres.

C'est à ce moment que le Magicien de Cristal nous a fait une offre impossible à refuser. Si nous arrivions à rassembler une puissante armée, il nous donnerait les pouvoirs magiques qui nous permettraient de vaincre Amecareth et ses sombres serviteurs. S'il avait su que le Roi d'Argent allait s'assurer la loyauté de vingt mille bons soldats en provenance de tous les royaumes, il n'aurait probablement pas conclu ce marché, car il lui fut bien difficile, par la suite, d'éliminer tous ceux qui ne méritaient pas cette puissance.

En l'espace de quelques secondes, nous sommes devenus des demi-dieux. Le Magicien de Cristal nous a donné la faculté de lancer avec nos mains des jets de feu, des rayons incandescents et des halos d'énergie suffisamment puissants pour détruire toute une flotte. Sans utiliser la parole, nous pouvions communiquer entre nous avec notre esprit et déplacer des objets sans les toucher. Il a aussi augmenté notre force physique et ensorcelé nos armes.

La soirée de notre adoubement fut la plus belle de toute ma vie. Le Château d'Émeraude ne pouvant contenir autant d'hommes, le roi dut procéder à la cérémonie dans les grands champs, à l'extérieur des murailles. En rangs serrés, montés sur nos chevaux, nous portions tous un flambeau. Mon ami Hadrian était devant le Magicien de Cristal et le Roi Jabe. Il avait posé un genou en terre. Mentalement, il répétait le serment que lui faisait prêter le monarque. Grâce à Hadrian, nous l'entendions dans notre esprit et nous le prononcions tous à voix haute en même temps. Nous étions si fiers de devenir des Chevaliers d'Émeraude. Nous ne savions évidemment pas ce qui nous attendait sur la côte d'Enkidiev.

Amecareth est un tacticien intelligent, mais parce qu'il est un insecte, il ne pense pas comme un soldat humain. Sa stratégie est beaucoup plus complexe. Il semble toujours ne poser qu'un seul geste à la fois, mais en réalité, il travaille sur plusieurs plans. Il ne lance jamais d'attaque inutile. L'Empereur profite de ces invasions pour se débarrasser de ses sujets les moins forts et des races conquises qui lui déplaisent. Il les jette dans la mêlée au début des combats pour donner à ses ennemis l'impression que son armée est faible, puis il envoie ses véritables guerriers.

Après plusieurs victoires sanglantes, notre armée s'est crue invincible. Alors, les gros insectes sont arrivés et ceux-là savaient se battre. C'est contre cet adversaire de taille que nous avons finalement mesuré notre valeur. Il est rapidement devenu évident que ces monstres tentaient de se diriger vers la Montagne de Cristal. Amecareth cherchait désespérément quelque chose. Il n'avait pas uniquement envoyé ses soldats pour s'emparer d'un nouveau territoire, il voulait probablement mettre la main sur le symbole même de notre unité, soit l'antre du Magicien de Cristal. Du moins, c'est ce que nous croyions. Pour Hadrian, il était hors de question que l'ennemi pénètre à l'intérieur des terres. Il voulait l'éliminer sur les plages du continent, alors il a divisé nos forces, de Zénor jusqu'au pays des Elfes, en mettant à la tête de chaque groupe un de ses hommes de confiance.

Amecareth n'envoie jamais ses meilleures troupes au début des invasions, en raison de leur petit nombre. Il ne dispose que de deux mille combattants parfaits.

Ce sont des mâles énormes et leurs bras d'acier ont appris à manipuler la lance. Ils n'hésitent pas non plus à se servir de leurs griffes pour trancher la gorge des humains ou pour les éventrer. Contrairement à leurs congénères moins puissants, ils ne craignent pas de se battre en plein jour ou sous la pluie. Ils ne possèdent aucun pouvoir magique, mais leur peau noire et épaisse les protège contre l'énergie de nos mains. Les armes sont beaucoup plus efficaces, mais encore faut-il qu'elles soient aussi puissantes que mon épée. Ces insectes sont de véritables machines à tuer qui ne connaissent pas la pitié. J'ai vu des soldats blessés demandant grâce être cruellement massacrés et piétinés par ces guerriers infatigables. Ils n'étaient que deux mille, mais nous avons mis des jours avant de les vaincre. Pourtant, nous étions dix fois plus nombreux qu'eux.

Ils nous ont attaqués en plusieurs escadrons séparés, d'environ une centaine d'individus chacun. Notre première erreur a été notre arrogance. Mon propre groupe de Chevaliers comptait plus de mille hommes, qui se sont rués en riant sur le petit détachement d'insectes disposés en éventail sur la plage du Royaume de Cristal. Mes soldats et leurs chevaux se sont mis à tomber comme des agneaux sans défense sous les lances de ces loups sanguinaires. Je les ai rappelés en toute hâte, mais j'avais déjà perdu la moitié de mes forces armées. Nous les avons ensuite bombardés de rayons de toutes sortes et n'en avons tué qu'un seul.

Hadrian m'a alors annoncé, dans mon esprit, qu'il avait aussi subi des pertes importantes sur les plages de son propre royaume et que la meilleure façon d'arrêter ces brutes à mandibules était le combat singulier. J'ai tout de suite ordonné à mes hommes de mettre pied à terre et de faire appel à la magie de leurs épées pour frapper les insectes le plus durement possible. Ce fut un combat long et éprouvant, qui aurait pu être moins pénible si j'avais découvert plus tôt que l'unique moyen de les arrêter était de les frapper à l'intérieur du coude, la seule partie tendre de toute leur carapace.

Une espèce de collerette rattachée à leurs épaules rendait inutiles les tentatives de décapitation. Le reste de leur carapace était aussi dur que l'acier. Mes premières touches directes avec la pointe pourtant effilée de mon épée ont bien failli mettre mon bras en bouillie. Impossible de leur faucher les jambes, hérissées d'écailles, sur lesquelles plusieurs épées se sont brisées malgré leur qualité magique. C'est par pur hasard que la mienne a glissé le long de l'avant-bras blindé d'un insecte pour s'enfoncer dans le pli de son coude. Dès que son membre a été sectionné, le soldat ennemi a poussé un cri déchirant et s'est effondré sur les genoux. Du sang noir comme de l'encre jaillissait de la blessure, telle une fontaine. J'ai tenté de l'achever, mais le reste de son corps était solide, le cou en particulier. Alors, je lui ai coupé l'autre bras pour qu'il saigne à mort et je me suis porté au secours de mes frères d'armes en communiquant aux chefs des autres groupes ce que je venais de découvrir.

Ces formidables guerriers avaient reçu la mission de nous occuper sur la côte tandis qu'un troupeau de dragons, conduit par d'autres soldats d'élite débarqués dans le Désert, longeaient la falaise de Zénor afin de pénétrer au Royaume de Cristal. Leur but était bien sûr d'atteindre la Montagne de Cristal. Je ne disposais pas de suffisamment d'hommes pour leur bloquer la route. Hadrian m'a alors ordonné d'éliminer d'abord les insectes sur la plage avant de poursuivre le contingent de dragons. Apparemment, un autre groupe sévissait au pays des Elfes. Il descendait du nord, où nos troupes affrontaient également des guerriers d'élite.

Ce n'est qu'à la tombée de la deuxième nuit que j'ai finalement donné l'ordre aux survivants de mon détachement de retrouver leurs chevaux pour se lancer aux trousses des dragons. Mes hommes venaient de mener de durs et longs combats. Ils étaient épuisés, assoiffés et affamés, mais ils ont tous obéi à mon commandement. Nous avons foncé dans le tunnel de lumière. Lorsque nous en sommes sortis, devant la rivière Mardall qui sépare les Royaumes de Zénor et de Perle, nous avons constaté que nos compagnons en provenance de Zénor se portaient à la rencontre des dragons sur les terres de Perle. Au même moment, Hadrian ralliait tous nos soldats du pays des Elfes et du Royaume d'Argent pour exterminer les dragons à la frontière des Royaumes de Diamant et d'Émeraude.

Nous avons traversé la rivière et le Magicien de Cristal s'est alors joint à nous pour renouveler nos forces à l'aide de ses incantations d'Immortel. Hadrian et ses troupes ont fondu sur l'ennemi avant qu'il n'avance davantage en direction du Royaume d'Émeraude. Nous aurions certainement pu vaincre cette armée d'insectes et de dragons, mais le vieux Roi d'Émeraude a décidé de prendre les choses en mains sans prévenir Abnar. J'ai vu son cheval harnaché de pierres précieuses grimper au sommet d'une colline du Royaume de Perle. J'ai d'abord pensé qu'il voulait observer les combats, mais il portait dans ses bras un petit garçon. J'étais persuadé que cet imbécile allait se faire mettre en pièces par les insectes qui continuaient d'avancer malgré les efforts d'Hadrian. Au contraire, d'un geste brutal, le roi a enfoncé son épée dans le corps du gamin. Un vent de panique a aussitôt déferlé dans les rangs de l'ennemi.

Tous les dragons et leurs maîtres se sont enfuis vers l'ouest en écrasant un grand nombre de mes compagnons. Je ne sais pas comment j'ai pu survivre à cette marée infernale. Après son passage, j'ai distingué, dans l'énorme nuage de poussière, les silhouettes des chevaux de mes frères d'armes qui poursuivaient l'ennemi. La voix d'Hadrian dans ma tête m'a ordonné de le suivre, mais je ne voyais absolument rien. J'ai donc talonné ma monture en direction de ce que je croyais être l'ouest. Lorsque la fumée s'est finalement dissipée, le spectacle qui s'offrait à nous était horrifique. L'armée impériale en déroute écrasait tout sur son passage. Nous avons constaté plus tard que les dommages les plus importants avaient été infligés à Zénor. Dans leur course effrénée à travers le continent, les dragons avaient détruit des villages entiers, piétiné des paysans à mort, dévasté des champs. J'ai vu certains de mes hommes, originaires de ce pays, s'effondrer et pleurer toutes les larmes de leur corps, car ils avaient perdu leur famille entière.

En voyant que les insectes tentaient de regagner l'océan, Hadrian nous a commandé de foncer vers les plages de Zénor. Tous ses commandants, enfin, ceux qui n'avaient pas été écrasés par les dragons, ont utilisé les couloirs magiques pour devancer l'ennemi.

Je suis arrivé au pied de la falaise à l'aube, avec ce qui restait de ma division. J'étais si désorienté que j'avais l'impression que mes pensées ne m'appartenaient pas entièrement. On aurait dit que celles d'un autre s'y mêlaient. Il y avait de la fumée sur la plage. Mes compagnons avaient déjà tué un grand nombre d'ennemis et commençaient à les incinérer, car il n'y avait plus d'espace pour marcher sur les galets. Là où on pouvait marcher, leur sang noir les rendait visqueux et dangereux.

J'ai trouvé Hadrian à proximité du château. Il surveillait attentivement un étrange nuage noir, qui avançait à l'horizon. Il était sillonné d'éclairs douteux. Hadrian m'a annoncé qu'il s'agissait des sorciers de l'Empereur. Le Roi d'Argent avait reçu plus de pouvoirs que nous tous, probablement parce qu'il était notre chef. Il avait la faculté de ressentir des choses à une grande distance. Il savait que ces mages noirs, en unissant leurs forces, causeraient des dommages encore plus terribles que les dragons à ce royaume déjà éprouvé. Il craignait l'effet de leurs mauvais sorts, mais il n'avait pas le choix : il devait attendre qu'ils approchent davantage.

Un intense rayon de lumière mauve a jailli de la nuée et démoli une partie du château. Heureusement, il avait été évacué. Les grosses pierres se sont écrasées en faisant trembler le sol. Puis, c'est un barrage de décharges lumineuses que les sorciers ont dirigé sur la forteresse. Hadrian nous a tous appelés par sa pensée. Il n'utilisait pas des mots, seulement des images et des émotions. Sans vraiment comprendre ce que nous faisions, nous nous sommes massés derrière lui.

Un sourire s'est dessiné sur les lèvres de Hadrian. Il connaissait exactement l'étendue de ses pouvoirs magiques. Il savait qu'il pouvait vaincre ces forces maléfiques. Il n'y avait aucune peur dans son cœur. Il a levé les bras au-dessus de sa tête. Une force hors de notre contrôle nous a poussés à l'imiter. Des filaments de couleur verte sont apparus dans nos paumes. D'un seul coup, nous avons baissé les bras. Des halos se sont échappés de nos mains pour s'agglutiner dans celles du Roi d'Argent. Puis, je l'ai vu projeter cette sphère géante vers l'océan, comme si elle était légère comme une plume. Elle a foncé sur le nuage et l'a pulvérisé. J'entends encore les cris de terreur des sorciers que notre énergie consumait.

La force qui nous avait habités s'est volatilisée d'un seul coup et nous avons repris la maîtrise de nos corps. De nombreux vaisseaux impériaux tentaient de s'enfuir. Nous les avons incendiés sans pitié. Il y avait encore beaucoup de cadavres à détruire sur la plage. Au lieu de participer au nettoyage avec ses hommes, Hadrian m'a offert du vin. Je n'aurais pas dû accepter de boire avec lui. J'étais si rompu que je me suis effondré sur le sol après une seule coupe.

Nous ne pouvions plus rien faire pour Zénor. Nous possédions de grands pouvoirs, mais nous ne pouvions pas ressusciter les morts ou sauver les récoltes. Persuadés que la guerre était finie, nous avons tous pris le chemin de nos royaumes respectifs en pensant que nous serions reçus en héros. Il n'en fut rien. Au lieu de récompenser notre courage, le Magicien de Cristal s'est plutôt employé à désamorcer nos pouvoirs. Hadrian a accepté de s'en départir, mais lui, il n'avait rien à perdre. Il retournait dans son grand château pour poursuivre sa vie facile. Ceux d'entre nous qui étaient de pauvres hères avant les hostilités ont résisté. Les plus téméraires ont même tenté d'utiliser leurs facultés magiques contre cet Immortel.

C'est à ce moment qu'il s'est mis en colère. Il a éliminé un nombre incroyable de bons soldats sans le moindre remords. J'ai entendu dire que les moins méritants commençaient à s'entretuer pour s'emparer de villages où ils voulaient imposer leur loi. Ils menaçaient même les rois. Ce fut un carnage encore plus important que celui engendré par la guerre contre l'Empereur.

Moi, je suis retourné dans mon village natal d'Émeraude, où m'attendaient mon épouse et mes fils jumeaux. Ils avaient tellement grandi en mon absence. Mais, après la joie des retrouvailles, j'ai contemplé la masure que nous habitions et j'ai décidé que je méritais mieux. Après tout, j'avais risqué ma vie pour contrer cette invasion. Je n'avais plus envie d'une vie de paysan pauvre, surtout après avoir goûté aux richesses du Château d'Argent. Je me suis donc rendu chez le Roi Jabe pour lui demander d'améliorer mon sort en récompense de mes actions héroïques. Il a refusé de me recevoir.

Qu'avait-il de mieux à faire, ce roi fainéant qui croyait avoir mis fin à la guerre en immolant un enfant ? Pendant des jours et des jours, j'ai demandé à voir mon souverain. En attendant la réponse de Jabe, je me suis réfugié dans la grande bibliothèque, mon repaire préféré. Là, j'ai écrit mon journal. Je voulais que mes fils sachent un jour que leur père était l'un des véritables héros de cette guerre. J'ai tout consigné, car j'avais pris la décision de ne pas abdiquer mes pouvoirs magiques lorsque l'Immortel l'exigerait. Je savais que je risquais la mort. J'écrivis aussi à Hadrian pour lui faire part de mes craintes et de mes ambitions. Il répliqua par plusieurs lettres dans lesquelles il tentait de me persuader d'obéir au Magicien de Cristal. Puisque je ne répondais pas à ses incessantes supplications, il s'est empressé de venir me sermonner en personne dans le palais du Roi d'Émeraude.

Je n'avais toujours pas obtenu d'audience. De surcroît, le vieux fou était tombé malade. Hadrian voulut d'abord me faire détruire mon journal, ayant appris que le Magicien de Cristal avait ordonné aux autres Chevaliers de se débarrasser des leurs. Mais, au lieu de suivre son conseil, j'ai jeté un sort à ce précieux bouquin pour que rien ne puisse l'altérer, ni le temps, ni les pouvoirs des Immortels. Hadrian était furieux contre moi. Il craignait pour ma vie, puisque Abnar mettait à mort ceux qui lui tenaient tête. Il m'offrit d'intercéder pour moi auprès du roi toujours alité, de me donner suffisamment d'argent pour m'acheter des terres et des serviteurs ou même de ramener ma famille dans son propre royaume, où nous pourrions vivre à ses côtés. Mais j'étais et je serai toujours un homme fier et obstiné. Je voulais gagner mon propre combat et, inconsciemment, c'était le trône du Roi d'Émeraude que je désirais pour moi-même. Et je n'étais pas le seul.

Une dizaine de mes anciens compagnons d'armes se sont présentés au château en exigeant que le Roi d'Émeraude leur cède son royaume. Hadrian s'est déchaîné. Il est sorti dans la grande cour pour leur rappeler le serment qu'ils avaient tous prononcé, mais ils se sont rués sur lui comme des animaux sauvages. Si le Magicien de Cristal n'était pas intervenu à ce moment-là, je crois qu'ils auraient mis mon ami en pièces. Tout s'est produit si rapidement que je n'ai même pas eu le temps de lui venir en aide. Des potences ont surgi de nulle part. Des cordes se sont enroulées, semblables à des serpents, autour du cou des Chevaliers devenus fous. Des milliers de soldats rôdaient sur le continent en quête de positions plus enviables que celles qu'ils occupaient avant la guerre. La pendaison de ces dix Chevaliers devait leur servir d'avertissement.

Évidemment, lorsqu'il eut réglé le sort de mes camarades récalcitrants, c'est vers moi qu'Abnar s'est tourné. Il m'a ordonné de détruire mon journal et de me mettre à genoux devant lui afin qu'il me dépouille de mes pouvoirs. Au lieu de lui obéir comme Hadrian m'avait supplié de le faire, je lui ai demandé de me donner le temps de m'y préparer. Il crut que j'avais d'abord besoin de me remettre du choc de la guerre et du spectacle de la mort de mes compagnons. Il a accepté d'attendre quelques jours, en m'avertissant que mon châtiment serait terrible si je profitais de ce sursis pour m'emparer du trône d'Émeraude.

Aujourd'hui, c'est la dernière nuit de mon sursis. Même si mon frère d'armes et ami, le puissant Roi d'Argent, a tenté de me saouler avec le meilleur vin du monde pour me rendre plus docile, j'ai décidé de cacher ce journal et de sortir du château en secret. J'ai jadis appris à disparaître aux yeux des humains grâce à une incantation trouvée dans un vieux grimoire. Je m'en servirai pour quitter le Royaume d'Émeraude à tout jamais. Je sais que je ne reverrai plus ma femme ni mes fils, mais en partant sans eux, je leur sauve la vie.

Nous ne sommes que du bétail pour les Immortels. Ils se servent surtout des plus méritants d'entre nous pour exécuter les tâches physiques que leur manque de matérialité ne leur permet pas d'accomplir. Leurs desseins ne sont pas clairs. Même s'ils prétendent obéir à la volonté des dieux, je suis désormais persuadé qu'ils ont aussi leurs propres ambitions de pouvoir. Ils ne sont pas nombreux, mais ils ont tous le même but : la domination de notre Univers. Je souhaite du plus profond de mon cœur qu'un homme naîtra sur ce continent qui les dénoncera auprès des dieux. Mais je crains que ce ne soit pas le rôle d'un pauvre paysan comme moi. Peut-être que Hadrian y arrivera, car je lui ai écrit une longue lettre. Mais je n'en saurai jamais rien.

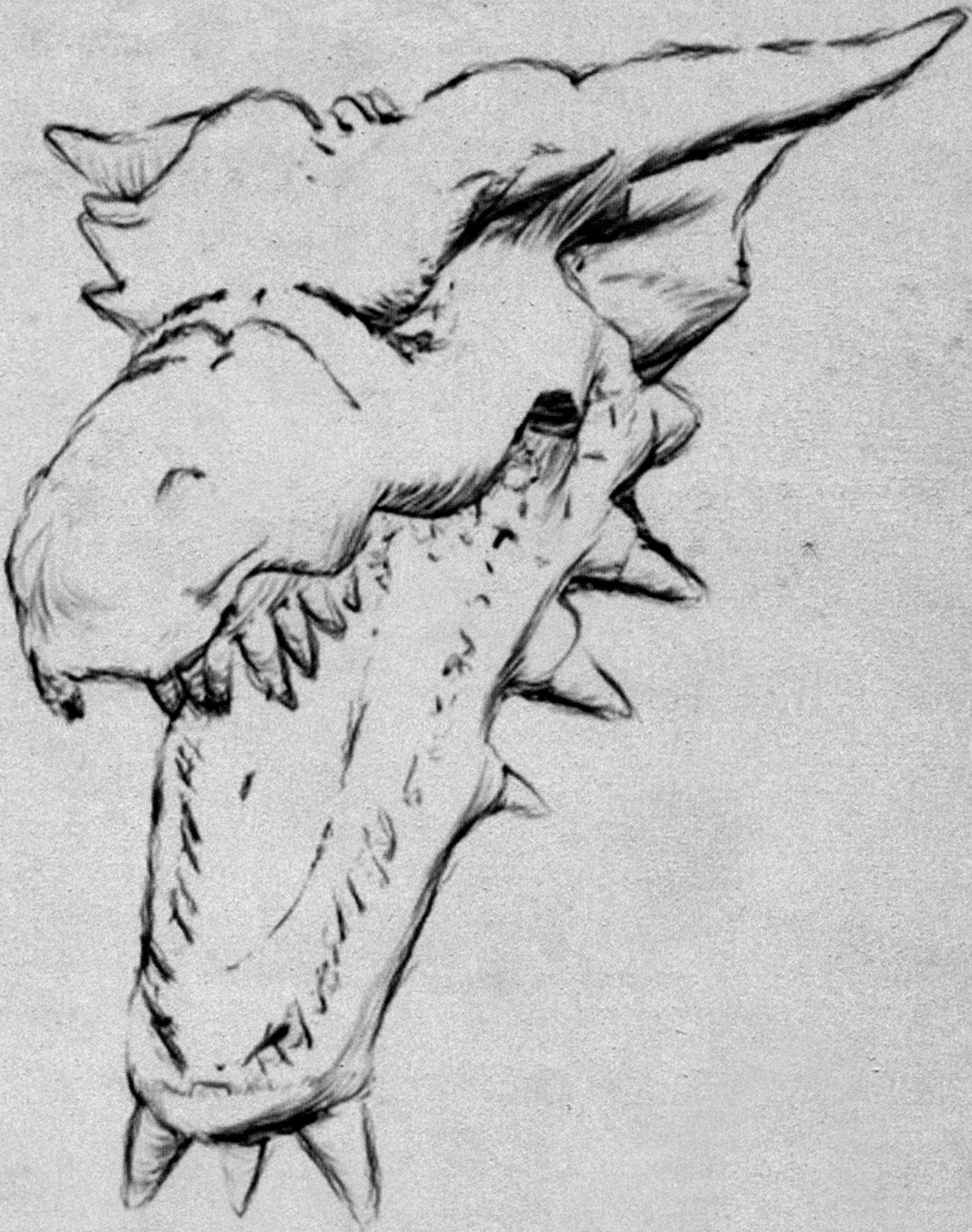

Canso de Sire Santo

Mon cœur se languit pour celle qui jamais ne m'aimera.
De là me vient cette peine et la canso que voilà.
Va lui dire que je l'aime. Va, car je ne l'ose pas.
Va, et toi parles à ma belle. Elle écoutera ta voix.
Conte lui mille merveilles; ce qu'elle ne sait pas de moi.
Que je soigne les plus faibles; que je ne fais pas que ça.
Va lui dire que je l'aime. Va, car je ne l'ose pas.
Va, et toi parles à ma belle. Elle écoutera ta voix.
Que la musique m'appelle comme pour d'autres le combat.
Que ma harpe vibre pour elle qui, hélas, ne l'entend pas.
Ô toi, le vent qu'elle adore, accroche-toi à ses pas.
Où qu'elle aille, je t'en implore, fais-toi l'écho de ma voix.
Va murmurer à son oreille cet aveu comme il se doit.
Dis-lui que dès mon réveil c'est pour elle que mon cœur bat.
J'ai mal de ces nuits de veille ! J'ai mal qu'un autre que moi
lui ait ravi ses prunelles et la porte dans ses bras.
Vent, ne me quitte pas. Reste encore auprès de moi.
Oublie tout de mon chagrin. Laisse ma belle à sa joie.
Je crains que ma confidence couvre d'ombre ses ébats.
Je la laisse donc à ses danses avec l'homme de son choix.
Va lui dire que je l'aime. Va, car je ne l'ose pas.
Va, et toi parles à ma belle. Elle écoutera ta voix.
Sans elle ma vie, mon destin, iront par d'autres chemins
et peut-être, un jour, enfin l'amour me tendra-t-il la main.
Je t'en prie, ne lui dis pas ce que je voudrais qu'elle sût (de moi).
S'il te plaît, jure le moi ! Non, attends ! Ne jure pas...

QUELQUES POÈMES DU ROI HADRIAN

MON AMI

Une oreille attentive, un sourire franc
Même dans les moments les plus troublants
Rien pour toi n'est jamais accablant
Tu es un compagnon flamboyant
Et, à l'occasion, un orateur éloquent
Tu ne laisses personne indifférent
Ton assurance est celle d'un commandant
Malgré tes grands airs suffisants
Ton cœur n'est jamais méchant
Tes récits d'aventures sont émouvants
Car tu ne cherches pas à être éblouissant
De tous mes amis, tu es le plus amusant
Et aussi, le plus intelligent
Un seul regard fut déterminant
J'ai senti ton courage de conquérant
Deux jeunes lions rugissants
Désirant voler jusqu'au firmament
Tu m'as inspiré inlassablement
Je t'en serai toujours reconnaissant

Lettre à mon fils

Déjà tout petit, tu te conduis avec noblesse
Voici tout de même un brin de sagesse
Pour que le jour où tu hériteras de ma forteresse
Tu la diriges avec beaucoup de souplesse
Ne laisse personne dans la détresse
Dans tes jugements fais preuve de justesse
Que tes paroles soient une caresse
Avec les femmes use toujours de délicatesse
En tout temps montre ta gentillesse
Au combat évite surtout la hardiesse
Qui pourrait te faire commettre des maladresses
Démontre ton courage avec finesse
Rappelle-toi que le mensonge est signe de petitesse
Surtout lorsque tu fais des promesses
Ta parole d'honneur est ta plus grande richesse
Rappelle-toi toujours ton rôle de grandesse
Donne toujours avec largesse
Tes amis traite toujours sans rudesse
Applique tes principes en évitant la faiblesse
Vis chaque instant dans l'allégresse
À la fin, tu n'en répondras qu'à la déesse
Mon fils, je t'aimerai jusque dans ma vieillesse

Quelques poèmes de Sire Lassa

La plus belle étoile

Dans le firmament, le plus bel astre s'appelle Kira
D'étincelles lavande et d'améthystes Parandar la créa
Pour que celui qui la vit aussitôt l'idolâtra
Heureux sera le mortel qui la visitera
Car à jamais dans ses feux il brûlera

Un cœur courageux

Je me réjouis de connaître cette guerrière merveilleuse
Dont la voix rieuse est si enjôleuse
Son regard est celui d'une ensorceleuse
Jamais un cœur ne fut plus courageux
Glorieux, miséricordieux, mystérieux et précieux
Ceux sur qui elle pose les yeux sont des bienheureux

Ma meilleure amie

Elle me connaît depuis que je suis tout petit
Et toujours elle m'a traité avec courtoisie
Souvent à cause d'elle, je fais de l'insomnie
Car je sais ses ennemis sans merci
Avec moi, elle fait preuve de camaraderie
Et me fait vivre des moments de pure fantaisie
Avec elle, jamais de jalousie ou d'hypocrisie
Vraiment, c'est ma meilleure amie

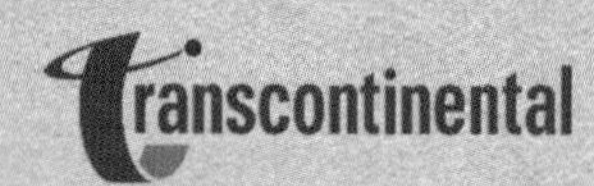

Imprimé par Transcontinental Interglobe

Québec, Canada
Mars 2008